宮沢賢治コレクション3

よだかの星

童話Ⅲ・初期短篇

筑摩書房

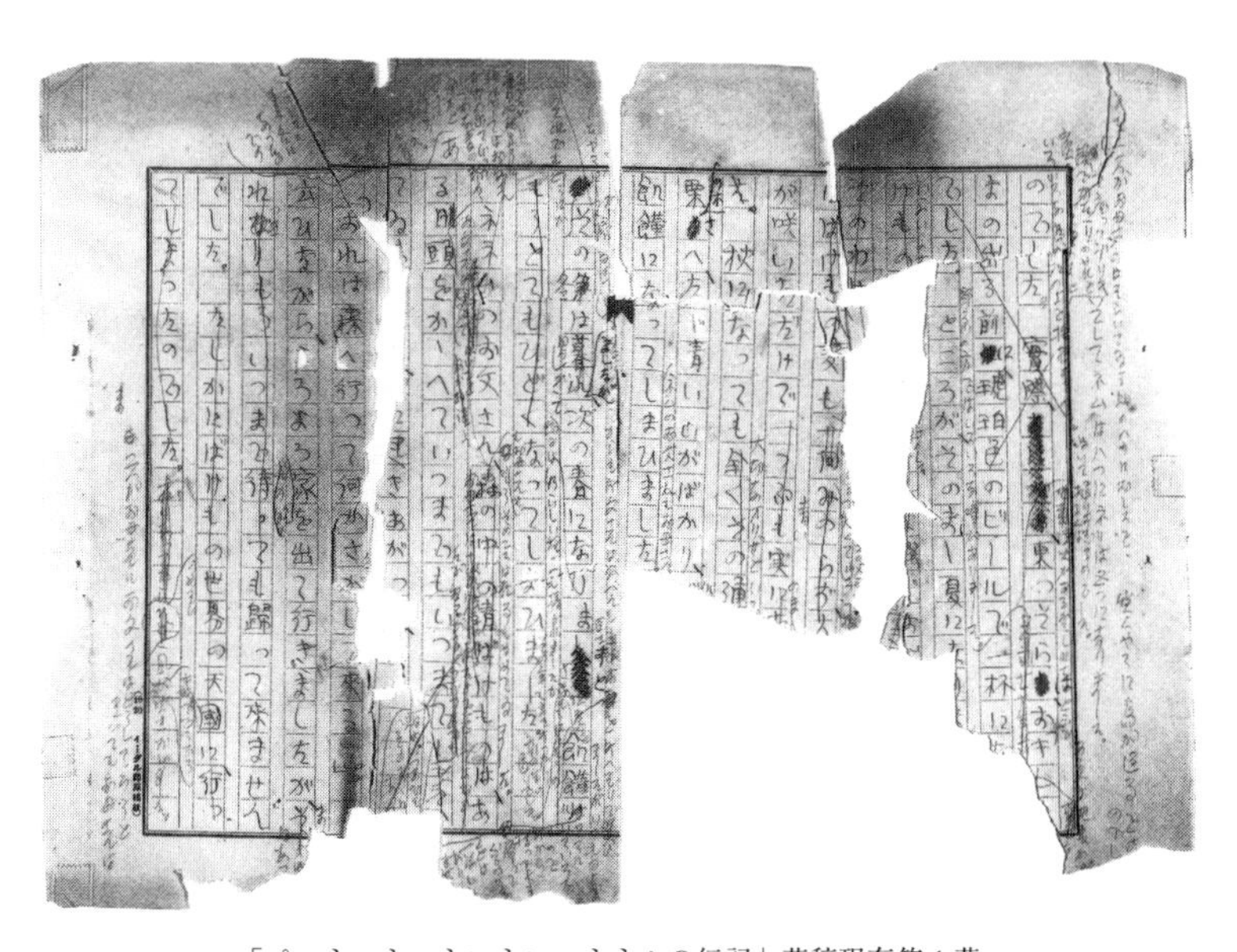

「ペンネンネンネンネン・ネネムの伝記」草稿現存第１葉

監修　天沢退二郎
入沢康夫
編集委員　栗原　敦
杉浦　静
編集協力　宮沢家
装画・挿画　千海博美
装丁　アルビレオ
口絵写真　「ペンネンネンネンネン・ネネムの伝記」
草稿現存第一葉（宮沢賢治記念館蔵）

目次

＊

初期短篇

宮沢賢治コレクション3

よだかの星

童話Ⅲ・初期短篇

蜘蛛となめくじと狸

くもとなめくじとたぬき

蜘蛛と、銀色のなめくじとそれから顔を洗ったことのない狸とはみんな立派な選手でした。

けれども一体何の選手だったのか私はよく知りません。

山猫が申しましたが三人はそれはそれは実に本気の競争をしていたのだそうです。

一体何の競争をしていたのか、私は三人がならんでかける所も見ませんし学校の試験で一番二番三番ときめられたことも聞きません。

一体何の競争をしていたのでしょう、蜘蛛は手も足も赤くて長く、胸には「ナンペ」と書いた蜘蛛文字のマークをつけていましたしなめくじはいつも銀いろのゴムの靴をはいていました。又狸は少しこわれてはいましたが運動シャッポをかぶっていました。

けれどもとにかく三人とも死にました。

蜘蛛は蜘蛛暦三千八百年の五月に没くなり銀色のなめくじがその次の年、狸が又その次の年死にました。三人の伝記をすこしよく調べて見ましょう。

一、赤い手長(てなが)の蜘蛛(くも)

蜘蛛の伝記のわかっているのは、おしまいの一ヶ年間(いっかねん)だけです。

蜘蛛は森の入口(いりくち)の楢(なら)の木に、どこからかある晩、ふっと風に飛ばされて来てひっかかりました。蜘蛛はひもじいのを我慢(がまん)して、早速(さっそく)お月様の光をさいわいに、網(あみ)をかけはじめました。

あんまりひもじくておなかの中にはもう糸がない位でした。けれども蜘蛛は「うんとこせうんとこせ」と云(い)いながら、一生けん命糸をたぐり出して、それはそれは小さな二銭銅貨(にせんどうか)位の網をかけました。

夜あけごろ、遠くから蚊(か)がくうんとうなってやって来て網につきあたりました。けれどもあんまりひもじいときかけた網なので、糸に少しもねばりがなくて、蚊はすぐ糸を切って飛んで行こうとしました。

蜘蛛はまるできちがいのように、葉のかげから飛び出してむんずと蚊に食いつきました。蚊は「ごめんなさい。ごめんなさい。ごめんなさい。」と哀(あわ)れな声で泣きましたが、蜘蛛は物も云わずに頭から羽からあしまで、みんな食ってしまいました。そしてホッと息をついてしばらくそらを向いて腹をこすってから、又(また)少し糸をはきました。そして網が一まわり大きくなりました。

蜘蛛はそして葉のかげに戻(もど)って、六つの眼(め)をギラギラ光らせてじっと網をみつめて居(お)りました。

「ここはどこでござりまするな。」と云いながらめくらのかげろうが杖をついてやって参りました。

「ここは宿屋ですよ。」と蜘蛛が六つの眼を別々にパチパチさせて云いました。

かげろうはやれやれというように、巣へ腰をかけました。蜘蛛は走って出ました。そして

「さあ、お茶をおあがりなさい。」と云いながらかげろうの胴中にむんずと噛みつきました。

かげろうはお茶をとろうとして出した手を空にあげて、バタバタもがきながら、

「あわれやむすめ、父親が、
旅で果てたと聞いたなら」と哀れな声で歌い出しました。

「えい。やかましい。じたばたするな。」と蜘蛛が云いました。するとかげろうは手を合わせて

「お慈悲でございます。遺言のあいだ、ほんのしばらくお待ちなされて下されませ。」とねがいました。

蜘蛛もすこし哀れになって

「よし早くやれ。」といってかげろうの足をつかんで待っていました。かげろうはほんとうにあわれな細い声ではじめから歌い直しました。

「あわれやむすめちちおやが、
旅ではてたと聞いたなら、
ちさいあの手に白手甲、
いとし巡礼の雨とかぜ。

もうしご冥加(みょうが)ご報謝(ほうしゃ)と、
かどなみなみに立つとても、
非道の蜘蛛(くも)の網(あみ)ざしき、
さわるまいぞや。よるまいぞ。」

「小(こ)しゃくなことを。」と蜘蛛はただ一息に、かげろうを食い殺してしまいました。そしてしばらくそらを向いて、腹をこすってからちょっと眼(め)をぱちぱちさせて「小しゃくなことを言うまいぞ。」とふざけたように歌いながら又(また)糸をはきました。

網は三(み)まわり大きくなって、もう立派な蜘蛛の巣です。蜘蛛はすっかり安心して、又葉のかげにかくれました。その時下の方でいい声で歌うのをききました。

「赤いてながのくぅも、
天のちかくをはいまわり、
スルスル光のいとをはき、
きぃらりきぃらり巣をかける。」

見るとそれはきれいな女の蜘蛛でした。

「ここへおいで。」と手長の蜘蛛が云(い)って糸を一本すうっとさげてやりました。

女の蜘蛛がすぐそれにつかまってのぼって来ました。そして二人は夫婦になりました。網には毎日沢山(たくさん)食べるものがかかりましたのでおかみさんの蜘蛛は、それを沢山たべてみんな子供にしてしまいました。そこで子供が沢山生まれました。ところがその子供らはあんまり小さくてまるですきとおる位です。

子供らは網の上ですべったり、相撲（すもう）をとったり、ぶらんこをやったり、それはそれはにぎやかです。おまけにある日とんぼが来て今度蜘蛛を虫けら会の相談役にするというみんなの決議をつたえました。

ある日夫婦のくもは、葉のかげにかくれてお茶をのんでいますと、下の方でへらへらした声で歌うものがあります。

「あぁかい手ながのくぅも、
できたむすこは二百疋（にひゃっぴき）、
めくそ、はんかけ、蚊（か）のなみだ、
大きいところで稗（ひえ）のつぶ。」

見るとそれは大きな銀色のなめくじでした。

蜘蛛のおかみさんはくやしがって、まるで火がついたように泣きました。

けれども手長の蜘蛛は云いました。

「ふん。あいつはちかごろ、おれをねたんでるんだ。やい、なめくじ。おれは今度は虫けら会の相談役になるんだぞ。へっ。くやしいか。へっ。てまえなんかいくらからだばかりふとっても、こんなことはできまい。へっへっ。」

なめくじはあんまりくやしくて、しばらく熱病になって、

「うう、くもめ、よくもぶじょくしたな。うう。くもめ。」といっていました。

網は時々風にやぶれたりごろつきのかぶとむしにこわされたりしましたけれどもくもはすぐすうすう糸をはいて修繕しました。

二百疋の子供は百九十八疋まで蟻に連れて行かれたり、行衛不明になったり、赤痢にかかったりして死んでしまいました。

けれども子供らは、どれもあんまりお互いに似ていましたので、親ぐもはすぐ忘れてしまいました。

そして今はもう網はすばらしいものです。虫がどんどんひっかかります。

ある日夫婦の蜘蛛は、葉のかげにかくれてお茶をのんでいますと、一疋の旅の蚊がこっちへ飛んで来て、それから網を見てあわてて飛び戻って行きました。

すると下の方で「ワッハッハ。」と笑う声がしてそれから太い声で歌うのが聞こえました。

「あぁかいてながのくうも、
あんまり網がまずいので、
八千二百里旅の蚊も、
くうんとうなってまわれ右。」

見るとそれは顔を洗ったことのない狸でした。蜘蛛はキリキリキリッとはがみをして云いました。

「何を。狸め。一生のうちにはきっとおれにおじぎをさせて見せるぞ。」

それからは蜘蛛は、もう一生けん命であちこちに十も網をかけたり、夜も見はりをしたりしました。ところが困ったことは腐敗したのです。食物がずんずんたまって、腐敗したのです。そして蜘蛛の夫婦と子供にそれがうつりました。そこで四人は足のさきからだんだん腐れてべとべとになり、ある日とうとう雨に流れてしまいました。

それは蜘蛛暦三千八百年の五月の事です。

二、銀色のなめくじ

丁度蜘蛛が林の入口の楢の木に、二銭銅貨の位の網をかけた頃、銀色のなめくじの立派なおうちへかたつむりがやって参りました。

その頃なめくじは林の中では一番親切だという評判でした。かたつむりは
「なめくじさん。今度は私もすっかり困ってしまいましたよ。まるで食べるものはなし、水はなし、すこしばかりお前さんのためてあるふきのつゆを呉れませんか。」と云いました。

するとなめくじが云いました。

「あげますともあげますとも。さあ、おあがりなさい。」

「ああありがとうございます。助かります。」と云いながらかたつむりはふきのつゆをどくどくのみました。

「もっとおあがりなさい。あなたと私とは云わば兄弟。ハッハハ。さあ、さあ、も少しおあがりなさい。」となめくじが云いました。

「そんならも少しいただきます。ああありがとうございます。」と云いながらかたつむりはも少しのみました。

「かたつむりさん。気分がよくなったら一つ相撲をとりましょうか。ハッハハ。久しぶりです。」となめくじが云いました。

「おなかがすいて力がありません。」とかたつむりが云いました。

「そんならたべ物をあげましょう。さあ、おあがりなさい。」となめくじはあざみの芽やなんか出しました。

「ありがとうございます。それではいただきます。」といいながらかたつむりはそれを喰べました。

「さあ、すもうをとりましょう。ハッハハ。」となめくじがもう立ちあがりました。かたつむりも仕方なく、

「私はどうも弱いのですから強く投げないで下さい。」と云いながら立ちあがりました。

「よっしょ。そら。ハッハハ。」かたつむりはひどく投げつけられました。

「もう一ぺんやりましょう。ハッハハ。」

「もうつかれてだめです。」

「まあもう一ぺんやりましょうよ。ハッハハ。よっしょ。そら。ハッハハ。」かたつむりはひどく投げつけられました。

「もう一ぺんやりましょう。ハッハハ。」

「もうだめです。」

「まあもう一ぺんやりましょうよ。ハッハハ。よっしょ、そら。ハッハハ。」かたつむりはひどく投げつけられました。

「もう一ぺんやりましょう。ハッハハ。」

「もうだめ。」

「まあもう一ぺんやりましょうよ。ハッハハ。よっしょ。そら。ハッハハ。」かたつむりはひどく投げつけられました。

「もう一ぺんやりましょう。ハッハハ。」

「もう死にます。さよなら。」

「まあもう一ぺんやりましょうよ。ハッハハ。さあ。お立ちなさい。起こしてあげましょう。よっしょ。そら。ヘッヘッヘ。」かたつむりは死んでしまいました。そこで銀色のなめくじはかたつむりをペロリと喰べてしまいました。

　それから一ヶ月ばかりたって、とかげがなめくじの立派なおうちへびっこをひいて来ました。

そして
「なめくじさん。今日(こんにち)は。お薬を少し呉(く)れませんか。」と云いました。

「どうしたのです。」となめくじは笑って聞きました。

「へびに噛(か)まれたのです。」ととかげが云いました。

「そんならわけはありません。私(わたくし)が一寸(ちょっと)そこを嘗(な)めてあげましょう。なあにすぐなおりますよ。

ハッハハ。」となめくじは笑って云いました。

「どうかお願い申します。」ととかげは足を出しました。

「ええ。よござんすとも。私とあなたとは云わば兄弟。ハッハハ。」となめくじは云いました。

そしてなめくじはとかげの傷に口をあてました。「ありがとう。なめくじさん。」ととかげは云いました。

「も少しよく嘗めないとあとで大変ですよ。今度又来てももう直してあげませんよ。ハッハハ。」となめくじはもがもが返事をしながらやはりとかげを嘗めつづけました。

「なめくじさん。何だか足が溶けたようですよ。」ととかげはおどろいて云いました。

「ハッハハ。なあに。それほどじゃありません。ハッハハ。」となめくじはやはりもがもが答えました。

「なめくじさん。おなかが何だか熱くなりましたよ。」ととかげは心配して云いました。

「ハッハハ。なあにそれほどじゃありません。ハッハハ。」となめくじはやはりもがもが答えました。

「なめくじさん。からだが半分とけたようですよ。もうよして下さい。」ととかげは泣き声を出しました。

「ハッハハ。なあにそれほどじゃありません。ほんのも少しです。も一分五厘ですよ。ハッハハ。」となめくじが云いました。

それを聞いたとき、とかげはやっと安心しました。丁度心臓がとけたのです。

そこでなめくじはペロリととかげをたべました。そして途方もなく大きくなりました。

あんまり大きくなったので嬉しまぎれについあの蜘蛛をからかったのでした。

そしてかえって蜘蛛からあざけられて、熱病を起こしたのです。そればかりではなく、なめくじの評判はどうもよくなくなりました。

なめくじはいつでもハッハハと笑って、そしてヘラヘラした声で物を言うけれども、どうも心がよくなくて蜘蛛やなんかよりは却って悪いやつだというのでみんなが軽べつをはじめました。殊に狸はなめくじの話が出るといつでもヘンと笑って云いました。

「なめくじなんてまずいもんさ。ぶま加減は見られたもんじゃない。」

なめくじはこれを聞いて怒って又病気になりました。そのうちに蜘蛛は腐敗して雨で流れてしまいましたので、なめくじも少しせいせいしました。

次の年ある日雨蛙がなめくじの立派なおうちへやって参りました。

そして、

「なめくじさん。こんにちは。少し水を呑ませませんか。」と云いました。

なめくじはこの雨蛙もペロリとやりたかったので、思い切っていい声で申しました。

「蛙さん。これはいらっしゃい。水なんかいくらでもあげますよ。ちかごろはひでりですけれどもなあに云わばあなたと私は兄弟。ハッハハ。」そして水がめの所へ連れて行きました。

蛙はどくどくどくどく水を呑んでからとぼけたような顔をしてしばらくなめくじを見てから云いました。

「なめくじさん。ひとつすもうをとりましょうか。」なめくじはうまいと、よろこびました。自分が云おうと思っていたのを蛙の方が云ったのです。こんな弱ったやつならば五へん投げつければ大ていペロリとやれる。

「とりましょう。よっしょ。そら。ハッハハ。」かえるはひどく投げつけられました。

「もう一ぺんやりましょう。ハッハハ。よっしょ。そら。ハッハハ。」かえるは又投げつけられました。するとかえるは大へんあわててふところから塩のふくろを出して云いました。

「土俵へ塩をまかなくちゃだめだ。そら。シュウ。」塩がまかれました。

なめくじが云いました。

「かえるさん。こんどはきっと私なんかまけますね。あなたは強いんだもの。ハッハハ。よっしょ。そら。ハッハハ。」蛙はひどく投げつけられました。

そして手足をひろげて青じろい腹を空に向けて死んだようになってしまいました。銀色のなめくじは、すぐペロリとやろうと、そっちへ進みましたがどうしたのか足がうごきません。見るともう足が半分とけています。

「あ、やられた。塩だ。畜生。」となめくじが云いました。

蛙はそれを聞くと、むっくり起きあがってあぐらをかいて、かばんのような大きな口を一ぱいにあけて笑いました。そしてなめくじにおじぎをして云いました。

「いや、さよなら。なめくじさん。とんだことになりましたね。」

なめくじが泣きそうになって、

「蛙さん。さよ……。」と云ったときもう舌がとけました。雨蛙（あまがえる）はひどく笑いながら

「さよならと云いたかったのでしょう。本当にさよならさよなら。暗い細路（ほそみち）を通って向こうへ行ったら私（わたし）の胃袋にどうかよろしく云って下さいな。」と云いながら銀色のなめくじをペロリとやりました。

三、顔を洗わない狸（たぬき）

狸は顔を洗いませんでした。

それもわざと洗わなかったのです。

狸は丁度（ちょうど）蜘蛛（くも）が林の入口（いりくち）の楢（なら）の木に、二銭銅貨（にせんどうか）位の巣をかけた時、すっかりお腹（なか）が空（す）いて一本の松の木によりかかって目をつぶっていました。すると兎（うさぎ）がやって参りました。

「狸さま。こうひもじくては全く仕方ございません。もう死ぬだけでございます。」

狸がきもののえりを掻（か）き合わせて云いました。

「そうじゃ。みんな往生（おうじょう）じゃ。山猫大明神（やまねこだいみょうじん）さまのおぼしめしどおりじゃ。な。なまねこ。なまねこ。」

兎も一緒（いっしょ）に念猫（ねんねこ）をとなえはじめました。

「なまねこ、なまねこ、なまねこ、なまねこ。」

狸は兎の手をとってもっと自分の方へ引きよせました。

「なまねこ、なまねこ、みんな山猫さまのおぼしめしどおり、なまねこ。なまねこ。」と云いながら兎の耳をかじりました。兎はびっくりして叫びました。

「あ痛っ。狸さん。ひどいじゃありませんか。」

狸はむにゃむにゃ兎の耳をかみながら、

「なまねこ、なまねこ、みんな山猫さまのおぼしめしどおり。なまねこ。」と云いながら、とうとう兎の両方の耳をたべてしまいました。

兎もそうきいていると、たいへんうれしくてボロボロ涙をこぼして云いました。

「なまねこ、なまねこ。ああありがたい、山猫さま。私のような悪いものでも助かりますなら耳の二つやそこらなんでもございませぬ。なまねこ。」

狸もそら涙をボロボロこぼして
「なまねこ、なまねこ、私のようなあさましいものでも助かりますなら手でも足でもさしあげまする。ああありがたい山猫さま。みんなおぼしめしのまま。」と云いながら兎の手をむにゃむにゃ食べました。

兎はますますよろこんで、

「ああありがたや、山猫さま。私のようないくじないものでも助かりますなら手の二本やそこらはいといませぬ。なまねこ、なまねこ。」

狸はもうなみだで身体もふやけそうに泣いたふりをしました。

「なまねこ、なまねこ。私のようなとてもかなわぬあさましいものでも、お役にたてて下されますか。ああありがたや。なまねこなまねこ。おぼしめしのとおり。むにゃむにゃ。」

兎はすっかりなくなってしまいました。

そこで狸のおなかの中で云いました。

「すっかりだまされた。お前の腹の中はまっくろだ。ああくやしい。」

狸は怒(おこ)って云いました。

「やかましい。はやく消化しろ。」

そして狸はポンポコポンポンとはらつづみをうちました。

それから丁度(ちょうど)二ヶ月たちました。ある日、狸は自分の家(うち)で、例のとおりありがたいごきとうをしていますと、狼(おおかみ)がお米を三升(じょう)さげて来て、どうかお説教をねがいますと云いました。

そこで狸は云いました。

「みんな山ねこさまのおぼしめしじゃ。お前がお米を三升もって来たのも、わしがお前に説教するのもじゃ。山ねこさまはありがたいお方じゃ。兎はおそばに参って、大臣になられたげな。お前もものの命をとったことは、五百や千では利(き)くまいに、早(はよ)うざんげさっしゃれ。でないと山ねこさまにえらい責苦(せめく)にあわされますぞい。おお恐(おそ)ろしや。なまねこ。なまねこ。」

狼はおびえあがって、きょろきょろしながらたずねました。

「そんならどうしたら助かりますかな。」

狸が云いました。

「わしは山ねこさまのお身代(みがわ)りじゃで、わしの云うとおりさっしゃれ。なまねこ。なまねこ。」

「どうしたらようございましょう。」と狼があわててききました。狸が云いました。

「それはな。じっとしていさしゃれ。な。わしはお前のきばをぬくじゃ。な。お前の目をつぶすじゃ。な。それから。なまねこ、なまねこ、なまねこ。お前のみみを一寸かじるじゃ。なまねこ。なまねこ。こらえなされ。お前のあたまをかじるじゃ。むにゃ、むにゃ。なまねこ。堪忍が大事じゃぞえ。なま……。むにゃむにゃ。お前のあしをたべるじゃ。うまい。なまねこ。むにゃ。むにゃ。おまえのせなかを食うじゃ。うまい。むにゃむにゃむにゃ。」

狼は狸のはらの中で云いました。

「ここはまっくらだ。ああ、ここに兎の骨がある。誰が殺したろう。殺したやつは狸さまにあとでかじられるだろうに。」

狸は無理に「ヘン。」と笑っていました。

さて蜘蛛はとけて流れ、なめくじはペロリとやられ、そして狸は病気にかかりました。

それはからだの中に泥や水がたまって、無暗にふくれる病気で、しまいには中に野原や山ができて狸のからだは地球儀のようにまんまるになりました。

そしてまっくろになって、熱にうかされて、

「うう、こわいこわい。おれは地獄行のマラソンをやったのだ。うう、切ない。」といいながらとうとう焦げて死んでしまいました。

※

なるほどそうしてみると三人とも地獄行きのマラソン競争をしていたのです。

双子の星

ふたごのほし

双子(ふたご)の星。一、

天(あま)の川(がわ)の西の岸にすぎなの胞子(ほうし)ほどの小さな二つの星が見えます。あれはチュンセ童子とポウセ童子という双子のお星さまの住んでいる小さな水精(すいしょう)のお宮です。

このすきとおる二つのお宮は、まっすぐに向かい合っています。夜は二人とも、きっとお宮に帰って、きちんと座り、空の星めぐりの歌に合わせて、一晩銀笛(ぎんてき)を吹(ふ)くのです。それがこの双子のお星様の役目でした。

ある朝、お日様がカツカツカツと厳(おごそ)かにお身体(からだ)をゆすぶって、東から昇(のぼ)っておいでになった時、チュンセ童子は銀笛を下に置いてポウセ童子に申しました。

「ポウセさん。もういいでしょう。お日様もお昇りになったし、雲もまっ白に光っています。今日は西の野原の泉へ行きませんか。」

ポウセ童子が、まだ夢中(むちゅう)で、半分眼(め)をつぶったまま、銀笛を吹いていますので、チュンセ童子はお宮から下りて、沓をはいて、ポウセ童子のお宮の段にのぼって、もう一度云いました。

「ポウセさん。もういいでしょう。東の空はまるで白く燃えているようですし、下では小さな鳥なんかもう目をさましている様子です。今日は西の野原の泉へ行きませんか。そして、風車で霧をこしらえて、小さな虹を飛ばして遊ぼうではありませんか。」

ポウセ童子はやっと気がついて、びっくりして笛を置いて云いました。

「あ、チュンセさん。失礼いたしました。もうすっかり明るくなったんですね。僕今すぐ沓をはきますから。」

そしてポウセ童子は、白い貝殻の沓をはき、二人は連れだって空の銀の芝原を仲よく歌いながら行きました。

「お日さまの、
　お通りみちを　はき浄め、
　ひかりをちらせ　あまの白雲。
　お日さまの、
　お通りみちの　石かけを
　深くうずめよ、あまの青雲。」

そしてもういつか空の泉に来ました。

この泉は霽れた晩には、下からはっきり見えます。天の川の西の岸から、よほど離れた処に、青い小さな星で円くかこまれてあります。底は青い小さなつぶ石でたいらにうずめられ、石の間から奇麗な水が、ころころころころ湧き出して泉の一方のふちから天の川へ小さな流れになって走って行きます。私共の世界が旱の時、瘠せてしまった夜鷹やほととぎすなどが、それをだまって見上げて、残念そうに咽喉をくびくびさせているのを時々見ることがあるではありませんか。どんな鳥でもとてもあそこまでは行けません。けれども、天の大烏の星や蠍の星や兎の星ならもちろんすぐ行けます。

「ポウセさんまずここへ滝をこしらえましょうか。」

「ええ、こしらえましょう。僕石を運びますから。」

チュンセ童子が沓をぬいで小流れの中に入り、ポウセ童子は岸から手ごろの石を集めはじめました。

今は、空は、りんごのいい匂いで一杯です。西の空に消え残った銀色のお月様が吐いたのです。

ふと野原の向こうから大きな声で歌うのが聞こえます。

「あまのがわの　にしのきしを、
すこしはなれた　そらの井戸。
みずはころろ、そこもきらら、
まわりをかこむ　あおいほし。
夜鷹ふくろう、ちどり、かけす、
　来よとすれども、できもせぬ。」

「あ、大烏の星だ。」童子たちは一緒に云いました。

もう空のすすきをざわざわと分けて大烏が向こうから肩をふって、のっしのっしと大股にやって参りました。まっくろなびろうどのマントを着て、まっくろなびろうどの股引をはいて居ります。

大烏は二人を見て立ちどまって丁寧にお辞儀しました。

「いや、今日は。チュンセ童子とポウセ童子。よく晴れて結構ですな。しかしどうも晴れると咽喉が乾いていけません。それに昨夜は少し高く歌い過ぎましてな。ご免下さい。」と云いながら大烏は泉に頭をつき込みました。

「どうか構わないで沢山呑んで下さい。」とポウセ童子が云いました。

大烏は息もつかずに三分ばかり咽喉を鳴らして呑んでからやっと顔をあげて一寸眼をパチパチ云わせてそれからブルルッと頭をふって水を払いました。

その時向こうから暴い声の歌が又聞こえて参りました。大烏は見る見る顔色を変えて身体を烈しくふるわせました。

「みなみのそらの、赤眼のさそり
　毒ある鉤と　大きなはさみを
　知らない者は　阿呆鳥。」

そこで大烏が怒って云いました。

「蠍星です。畜生。阿呆鳥だなんて人をあてつけてやがる。見ろ。ここへ来たらその赤眼を抜いてやるぞ。」

チュンセ童子が

「大烏さん。それはいけないでしょう。王様がご存じですよ。」という間もなくもう赤い眼の蠍星が向こうから二つの大きな鋏(はさみ)をゆらゆら動かし長い尾をカラカラ引いてやって来るのです。その音はしずかな天の野原中にひびきました。

大烏はもう怒ってぶるぶる顫(ふる)えて今にも飛びかかりそうです。双子(ふたご)の星は一生けん命手まねでそれを押(お)さえました。

蠍は大烏を尻眼(しりめ)にかけてもう泉のふち迄這(までは)って来て云いました。

「ああ、どうも咽喉が乾いてしまった。やあ双子さん。今日は。ご免なさい。少し水を呑んでやろうかな。はてな、どうもこの水は変に土臭(つちくさ)いぞ。どこかのまっ黒な馬鹿(ばか)ァが頭をつっ込んだと見える。えい。仕方ない。我慢(がまん)してやれ。」

そして蠍は十分ばかりごくりごくりと水を呑みました。その間も、いかにも大烏を馬鹿にする様に、毒の鉤のついた尾をそちらにパタパタ動かすのです。

とうとう大烏は、我慢し兼ねて羽をパッと開いて叫(さけ)びました。

「こら蠍。貴様(きさま)はさっきから阿呆鳥だの何だのと俺(おれ)の悪口を云ったな。早くあやまったらどうだ。」

蠍がやっと水から頭をはなして、赤い眼をまるで火が燃えるように動かしました。

「へん。誰(たれ)か何か云ってるぜ。赤いお方だろうか。鼠色(ねずみいろ)のお方だろうか。一つ鉤をお見舞(みまい)しますかな。」

大烏はかっとして思わず飛びあがって叫びました。

「何を。生意気な。空の向こう側へまっさかさまに落としてやるぞ。」

蠍も怒って大きなからだをすばやくひねって尾の鉤を空に突き上げました。大烏は飛びあがってそれを避け今度はくちばしを槍のようにしてまっすぐに蠍の頭をめがけて落ちて来ました。

チュンセ童子もポウセ童子もとめるすきがありません。蠍は頭に深い傷を受け、大烏は胸を毒の鉤でさされて、両方ともウンとうなったまま重なり合って気絶してしまいました。

蠍の血がどくどく空に流れて、いやな赤い雲になりました。

チュンセ童子が急いで沓をはいて、申しました。

「さあ大変だ。大烏には毒がはいったのだ。早く吸いとってやらないといけない。ポウセさん。大烏をしっかり押さえていて下さいませんか。」

ポウセ童子も沓をはいてしまっていそいで大烏のうしろにまわってしっかり押さえました。チュンセ童子が大烏の胸の傷口に口をあてました。ポウセ童子が申しました。

「チュンセさん。毒を呑んではいけませんよ。すぐ吐き出してしまわないといけませんよ。」

チュンセ童子が黙って傷口から六遍ほど毒のある血を吸ってはき出しました。すると大烏がやっと気がついてうすく目を開いて申しました。

「あ、どうも済みません。私はどうしたのですかな。たしかに野郎をし留めたのだが。」

チュンセ童子が申しました。

「早く流れでその傷口をお洗いなさい。歩けますか。」

大烏はよろよろ立ちあがって蠍を見て又身体をふるわせて云いました。

「畜生。空の毒虫め。空で死んだのを有り難いと思え。」

二人は大烏を急いで流れへ連れて行きました。そして奇麗に傷口を洗ってやって、その上、傷口へ二三度香しい息を吹きかけてやって云いました。

「さあ、ゆるゆる歩いて明るいうちに早くおうちへお帰りなさい。これからこんな事をしてはいけません。王様はみんなご存じですよ。」

大烏はすっかり悄気て翼を力なく垂れ、何遍もお辞儀をして
「ありがとうございます。ありがとうございます。これからは気をつけます。」と云いながら脚を引きずって銀のすすきの野原を向こうへ行ってしまいました。

二人は蠍を調べて見ました。頭の傷はかなり深かったのですがもう血がとまっています。二人は泉の水をすくって、傷口にかけて奇麗に洗いました。そして交る交るふっふっと息をそこへ吹き込みました。

お日様が丁度空のまん中においでになった頃蠍はかすかに目を開きました。

ポウセ童子が汗をふきながら申しました。

「どうですか気分は。」

蠍がゆるく呟きました。

「大烏めは死にましたか。」

チュンセ童子が少し怒って云いました。

「まだそんな事を云うんですか。あなたこそ死ぬ所でした。さあ早くうちへ帰る様に元気をお出しなさい。明るいうちに帰らなかったら大変ですよ。」

蠍が目を変に光らして云いました。

「双子さん。どうか私を送って下さいませんか。お世話の序です。」

ポウセ童子が云いました。

「送ってあげましょう。さあおつかまりなさい。」

チュンセ童子も申しました。

「そら、僕にもおつかまりなさい。早くしないと明るいうちに家に行けません。そうすると今夜の星めぐりが出来なくなります。」

蠍は二人につかまってよろよろ歩き出しました。二人の肩の骨は曲がりそうになりました。実に蠍のからだは重いのです。大きさから云っても童子たちの十倍位はあるのです。

けれども二人は顔をまっ赤にしてこらえて一足ずつ歩きました。

蠍は尾をギーギーと石ころの上に引きずっていやな息をはあはあ吐いてよろりよろりとあるくのです。一時間に十町とも進みません。

もう童子たちは余り重い上に蠍の手がひどく食い込んで痛いので、肩や胸が自分のものかどうかもわからなくなりました。

空の野原はきらきら白く光っています。七つの小流れと十の芝原とを過ぎました。

童子たちは頭がぐるぐるしてもう自分が歩いているのか立っているのかわかりませんでした。

それでも二人は黙ってやはり一足ずつ進みました。

さっきから六時間もたっています。蠍の家まではまだ一時間半はかかりましょう。もうお日様が西の山にお入りになる所です。

「もう少し急げませんか。私らも、もう一時間半のうちにはおうちへ帰らないといけないんだから。けれども苦しいんですか。大変痛みますか。」とポウセ童子が申しました。

「へい。も少しでございます。どうかお慈悲でございます。」と蠍が泣きました。

「ええ。も少しです。傷は痛みますか。」とチュンセ童子が肩の骨の砕けそうなのをじっとこらえて申しました。

お日様がもうサッサッサッと三遍厳かにゆらいで西の山にお沈みになりました。

「もう僕らは帰らないといけない。困ったな。ここらの人は誰か居ませんか。」ポウセ童子が叫びました。天の野原はしんとして返事もありません。

西の雲はまっかにかがやき蠍の眼も赤く悲しく光りました。光の強い星たちはもう銀の鎧を着て歌いながら遠くの空へ現われた様子です。

「一つ星めつけた。長者になあれ。」下で一人の子供がそっちを見上げて叫んでいます。

チュンセ童子が
「蠍さん。も少しです。急げませんか。疲れましたか。」と云いました。

蠍が哀れな声で、

「どうもすっかり疲れてしまいました。どうかも少しですからお許し下さい。」と云います。

「星さん星さん一つの星で出ぬもんだ。

千も万もでるもんだ。」

下で別の子供が叫んでいます。もう西の山はまっ黒です。あちこち星がちらちら現われました。

チュンセ童子は背中がまがってまるで潰れそうになりながら云いました。

「蠍さん。もう私らは今夜は時間に遅れました。きっと王様に叱られます。事によったら流されるかも知れません。けれどもあなたがふだんの所に居なかったらそれこそ大変です。」

ポウセ童子が
「私はもう疲れて死にそうです。蠍さん。もっと元気を出して早く帰って行って下さい。」と云いながらとうとうバッタリ倒れてしまいました。蠍は泣いて云いました。

「どうか許して下さい。私は馬鹿です。あなた方の髪の毛一本にも及びません。きっと心を改めてこのおわびは致します。きっといたします。」

この時水色の烈しい光の外套を着た稲妻が、向こうからギラッとひらめいて飛んで来ました。

そして童子たちに手をついて申しました。

「王様のご命でお迎いに参りました。さあご一緒に私のマントへおつかまり下さい。もうすぐお宮へお連れ申します。王様はどう云う訳かさっきからひどくお悦びでございます。それから、蠍。お前は今まで憎まれ者だったな。さあこの薬を王様から下すったんだ。飲め。」

童子たちは叫びました。

「それでは蠍さん。さよなら。早く薬をのんで下さい。それからさっきの約束ですよ。きっとですよ。さよなら。」

　そして二人は一緒に稲妻のマントにつかまりました。蠍が沢山の手をついて平伏して薬をのみそれから丁寧にお辞儀をします。

　稲妻がぎらぎらっと光ったと思うともういつかさっきの泉のそばに立って居りました。そして申しました。

「さあ、すっかりおからだをお洗いなさい。王様から新しい着物と沓を下さいました。まだ十五分間があります。」

　双子のお星様たちは悦んでつめたい水晶のような流れを浴び、匂いのいい青光りのうすものの衣を着け新らしい白光りの沓をはきました。するともう身体の痛みもつかれも一遍にとれてすがすがしてしまいました。

「さあ、参りましょう。」と稲妻が申しました。そして二人が又そのマントに取りつきますと紫色の光が一遍ぱっとひらめいて童子たちはもう自分のお宮の前に居ました。稲妻はもう見えません。

「チュンセ童子、それでは支度をしましょう。」

「ポウセ童子、それでは支度をしましょう。」

　二人はお宮にのぼり、向き合ってきちんと座り銀笛をとりあげました。

　丁度あちこちで星めぐりの歌がはじまりました。

「あかいめだまの　さそり

ひろげた鷲の　つばさ
あおいめだまの　小いぬ、
ひかりのへびの　とぐろ。

オリオンは高く　うたい
つゆとしもとを　おとす、
アンドロメダの　くもは
さかなのくちの　かたち。
大ぐまのあしを　きたに
五つのばした　ところ。
小熊のひたいの　うえは
そらのめぐりの　めあて。」

双子のお星様たちは笛を吹きはじめました。

双子の星。二、

（天の川の西の岸に小さな小さな二つの青い星が見えます。あれはチュンセ童子とポウセ童子という双子のお星様でめいめい水精でできた小さなお宮に住んでいます。

二つのお宮はまっすぐに向かい合っています。夜は二人ともきっとお宮に帰ってきちんと座ってそらの星めぐりの歌に合わせて一晩銀笛を吹くのです。それがこの双子のお星様たちの役目でした。）

ある晩空の下の方が黒い雲で一杯に埋まり雲の下では雨がザアッザアッと降って居りました。それでも二人はいつものようにめいめいのお宮にきちんと座って向かいあって笛を吹いていますと突然大きな乱暴ものの彗星がやって来て二人のお宮にフッフッと青白い光の霧をふきかけて云いました。

「おい、双子の青星。すこし旅に出て見ないか。今夜なんかそんなにしなくてもいいんだ。いくら難船の船乗りが星で方角を定めようたって雲で見えはしない。天文台の星の係りも今日は休みであくびをしてる。いつも星を見ているあの生意気な小学生も雨ですっかりへこたれてうちの中で絵なんか書いてるんだ。お前たちが笛なんか吹かなくたって星はみんなくるくるまわるさ。どうだ。一寸旅へ出よう。あしたの晩方までにはここに連れて来てやるぜ。」

チュンセ童子が一寸笛をやめて云いました。

「それは曇った日は笛をやめてもいいと王様からお許しはあるとも。私らはただ面白くて吹いていたんだ。」

ポウセ童子も一寸笛をやめて云いました。

「けれども旅に出るなんてそんな事はお許しがないはずだ。雲がいつはれるかもわからないんだから。」

彗星が云いました。

「心配するなよ。王様がこの前俺にそう云ったぜ。いつか曇った晩あの双子を少し旅させてやって呉れってな。行こう。行こう。俺なんか面白いぞ。俺のあだ名は空の鯨と云うんだ。知ってるか。俺は鰯のようなヒョロヒョロの星やめだかのような黒い隕石はみんなパクパク呑んでしまうんだ。それから一番痛快なのはまっすぐに行ってそのまままっすぐに戻る位ひどくカーブを切って廻るときだ。まるで身体が壊れそうになってミシミシ云うんだ。光の骨までがカチカチ云うぜ。」

ポウセ童子が云いました。

「チュンセさん。行きましょうか。王様がいいっておっしゃったそうですから。」

チュンセ童子が云いました。

「けれども王様がお許しになったなんて一体本当でしょうか。」

彗星が云いました。

「へん。偽なら俺の頭が裂けてしまうがいいさ。頭と胴と尾とばらばらになって海へ落ちて海鼠にでもなるだろうよ。偽なんか云うもんか。」

ポウセ童子が云いました。

「そんなら王様に誓えるかい。」

彗星はわけもなく云いました。

「うん、誓うとも。そら、王様ご照覧。ええ今日、王様のご命令で双子の青星は旅に出ます。ね。

いいだろう。」

二人は一緒に云いました。

「うん。いい。そんなら行こう。」

そこで彗星がいやに真面目くさって云いました。

「それじゃ早く俺のしっぽにつかまれ。しっかりとつかまるんだ。さ。いいか。」

二人は彗星のしっぽにしっかりつかまりました。彗星は青白い光を一つフウとはいて云いました。

「さあ、発つぞ。ギイギイギイフウ。ギイギイフウ。」

実に彗星は空のくじらです。弱い星はあちこち逃げまわりました。もう大分来たのです。二人のお宮もはるかに遠く遠くなってしまい今は小さな青白い点にしか見えません。

チュンセ童子が申しました。

「もう余程来たな。天の川の落ち口はまだだろうか。」

すると彗星の態度がガラリと変ってしまいました。

「へん。天の川の落ち口よりお前らの落ち口を見ろ。それ一ぃ二の三。」

彗星は尾を強く二三遍動かしおまけにうしろをふり向いて青白い霧を烈しくかけて二人を吹き落してしまいました。

二人は青ぐろい虚空をまっしぐらに落ちました。

彗星は、

「あっはっは、あっはっは。さっきの誓いも何もかもみんな取り消しだ。ギイギイギイ、フウ。ギイギイフウ。」と云いながら向こうへ走って行ってしまいました。二人は落ちながらしっかりお互いの肱をつかみました。この双子のお星様はどこ迄でも一緒に落ちようとしたのです。

二人のからだが空気の中にはいってからは雷のように鳴り、赤い火花がパチパチあがり見ていてさえめまいがする位でした。そして二人はまっ黒な雲の中を通り、暗い波の咆えていた海の中に矢のように落ち込みました。

二人はずんずん沈みました。けれども不思議なことには水の中でも自由に息ができたのです。海の底はやわらかな泥で大きな黒いものが寝ていたり、もやもやの藻がゆれたりしました。

チュンセ童子が申しました。

「ポウセさん。ここは海の底でしょうね。もう僕たちは空に昇れません。これからどんな目に遭うでしょう。」

ポウセ童子が云いました。

「僕らは彗星に欺されたのです。彗星は王さまへさえ偽をついたのです。本当に憎いやつではありませんか。」

するとすぐ足もとで星の形で赤い光の小さなひとでが申しました。

「お前さんたちはどこの海の人たちですか。お前さんたちは青いひとでのしるしをつけていますね。」

ポウセ童子が云いました。

「私らはひとでではありません。星ですよ。」

するとひとでが怒って云いました。

「何だと。星だって。ひとではもとはみんな星さ。お前たちはそれじゃ今やっとここへ来たんだろう。何だ。それじゃ新米のひとでだ。ほやほやの悪党だ。悪いことをしてここへ来ながら星だなんて鼻にかけるのは海の底でははやらないさ。おいらだって空に居た時は第一等の軍人だぜ。」

ポウセ童子が悲しそうに上を見ました。

もう雨がやんで雲がすっかりなくなり海の水もまるで硝子のように静まってそらがはっきり見えます。天の川もそらの井戸も鷲の星や琴弾きの星やみんなはっきり見えます。小さく小さく二人のお宮も見えます。

「チュンセさん。すっかり空が見えます。私らのお宮も見えます。それだのに私らはとうとうひとでになってしまいました。」

「ポウセさん。もう仕方ありません。ここから空のみなさんにお別れしましょう。またおすがたは見えませんが王様におわびをしましょう。」

「王様さよなら。私共は今日からひとでになるのでございます。」

「王様さよなら。ばかな私共は彗星に欺されました。今日からはくらい海の底の泥を私共は這いまわります。」

「さよなら王様。又天上の皆さま。おさかえを祈ります。」

「さよならみな様。又すべての上の尊い王さま、いつまでもそうしておいで下さい。」

赤いひとでが沢山集まって来て二人を囲んでがやがや云って居りました。

「こら着物をよこせ。」「こら。剣を出せ。」「税金を出せ。」「もっと小さくなれ。」「俺の靴をふけ。」

その時みんなの頭の上をまっ黒な大きな大きなものがゴーゴーゴーと哮えて通りかかりました。ひとではあわててみんなお辞儀をしました。黒いものは行き過ぎようとしてふと立ちどまってよく二人をすかして見て云いました。

「ははあ、新兵だな。まだお辞儀のしかたも習わないのだな。こら、くじら様を知らんのか。俺のあだなは海の彗星と云うんだ。知ってるか。俺は鰯のようなひょろひょろの魚やめだかの様なめくらの魚はみんなパクパク呑んでしまうんだ。それから一番痛快なのはまっすぐに行ってぐるっと円を描いてまっすぐにかえる位ゆっくりカーブを切るときだ。まるでからだの油がねとねとするぞ。さて、お前は天からの追放の書き付けを持って来たろうな。早く出せ。」

二人は顔を見合せました。チュンセ童子が
「僕らはそんなもの持たない。」と申しました。

すると鯨が怒って水を一つぐうっと口から吐きました。ひとではみんな顔色を変えてよろよろしましたが二人はこらえてしゃんと立っていました。

鯨が怖い顔をして云いました。

「書き付けを持たないのか。悪党め。ここに居るのはどんな悪いことを天上でして来たやつでも書き付けを持たなかったものはないぞ。貴様らは実にけしからん。さあ。呑んでしまうからそう思え。いいか。」鯨は口を大きくあけて身構えしました。ひとでや近所の魚は巻き添えを食っては大変だと泥の中にもぐり込んだり、一もくさんに逃げたりしました。

その時向こうから銀色の光がパッと射して小さな海蛇がやって来ます。くじらは非常に愕ろいたらしく急いで口を閉めました。

海蛇は不思議そうに二人の頭の上をじっと見て云いました。

「あなた方はどうしたのですか。悪いことをなさって天から落とされたお方ではないように思われますが。」

鯨が横から口を出しました。

「こいつらは追放の書き付けも持ってませんよ。」

海蛇が凄い目をして鯨をにらみつけて云いました。

「黙っておいで。生意気な。このお方がたをこいつらなんてお前がどうして云えるんだ。お前には善い事をしていた人の頭の上の後光が見えないのだ。悪い事をしたものなら頭の上に黒い影法師が口をあいているからすぐわかる。お星さま方。こちらへお出で下さい。王の所へご案内申しあげましょう。おい、ひとで。あかりをともせ。こら、くじら。あんまり暴れてはいかんぞ。」

くじらが頭をかいて平伏しました。

愕ろいた事には赤い光のひとでが幅のひろい二列にぞろっとならんで丁度街道のあかりのようです。

「さあ、参りましょう。」海蛇は白髪を振って恭々しく申しました。二人はそれに続いてひとでの間を通りました。まもなく蒼ぐろい水あかりの中に大きな白い城の門があって、その扉がひとりでに開いて中から沢山の立派な海蛇が出て参りました。そして双子のお星さまたちは海蛇の王さまの前に導かれました。王様は白い長い髯の生えた老人でにこにこわらって云いました。

「あなた方はチュンセ童子。ポウセ童子。よく存じて居ります。あなた方が前にあの空の蠍の悪い心を命がけでお直しになった話はここへも伝わって居ります。私はそれをこちらの小学校の読本にも入れさせました。さて今度はとんだ災難で定めしびっくりなさったでしょう。」

　チュンセ童子が申しました。

「これはお語誠に恐れ入ります。私共はもう天上にも帰れませんし、できます事ならこちらで何なりみなさまのお役に立ちたいと存じます。」

　王が云いました。

「いやいや、そのご謙遜は恐れ入ります。早速竜巻に云いつけて天上にお送りいたしましょう。お帰りになりましたらあなたの王様に海蛇めが宜しく申し上げたと仰っしゃって下さい。」

　ポウセ童子が悦んで申しました。

「それでは王様は私共の王様をご存じでいらっしゃいますか。」

　王はあわてて椅子を下って申しました。

「いいえ、それどころではございません。王様はこの私の唯一人の王でございます。遠いむかしから私めの先生でございます。私はあのお方の愚かなしもべでございます。いや、まだおわかりになりますまい。けれどもやがておわかりでございましょう。それでは夜の明けないうちに竜巻にお伴致させます。これ、これ。支度はいいか。」

一疋のけらいの海蛇が
「はい、ご門の前にお待ちいたして居ります。」と答えました。

二人は丁寧に王にお辞儀をいたしました。

「それでは王様、ごきげんよろしゅう。いずれ改めて空からお礼を申しあげます。このお宮のいつまでも栄えますよう。」

王は立って云いました。

「あなた方もどうかますます立派にお光り下さいますよう。それではごきげんよろしゅう。」

けらいたちが一度に恭々しくお辞儀をしました。

童子たちは門の外に出ました。

竜巻が銀のとぐろを巻いてねています。

一人の海蛇が二人をその頭に載せました。

二人はその角に取りつきました。

その時赤い光のひとでが沢山出て来て叫びました。

「さよなら、どうか空の王様によろしく。私どももいつか許されますようおねがいいたします。」

二人は一緒に云いました。

「きっとそう申しあげます。やがて空でまたお目にかかりましょう。」

竜巻がそろりそろりと立ちあがりました。

「さよなら、さよなら。」

竜巻はもう頭をまっくろな海の上に出しました。と思うと急にバリバリバリッと烈しい音がして、竜巻は水と一所に矢のように高く高くはせのぼりました。

まだ夜があけるのに余程間があります。天の川がずんずん近くなります。二人のお宮がもうはっきり見えます。

「一寸あれをご覧なさい。」と闇の中で竜巻が申しました。

見るとあの大きな青白い光りのほうきぼしはばらばらにわかれてしまって頭も尾も胴も別々にきちがいのような凄い声をあげガリガリ光ってまっ黒な海の中に落ちて行きます。

「あいつはなまこになりますよ。」と竜巻がしずかに云いました。

もう空の星めぐりの歌が聞こえます。

そして童子たちはお宮につきました。

竜巻は二人をおろして
「さよなら、ごきげんよろしゅう」と云いながら風のように海に帰って行きました。

双子のお星さまはめいめいのお宮に昇りました。そしてきちんと座って見えない空の王様に申しました。

「私どもの不注意からしばらく役目を欠かしましてお申し訳ございません。それにもかかわらず今晩はおめぐみによりまして不思議に助かりました。海の王様が沢山の尊敬をお伝えして呉れと申されました。それから海の底のひとでがお慈悲をねがいました。又私どもから申しあげますがなまこももしできますならお許しを願いとう存じます。」

そして二人は銀笛をとりあげました。

東の空が黄金色になり、もう夜明けに間もありません。

貝の火

かいのひ

今は兎たちは、みんなみじかい茶色の着物です。

野原の草はきらきら光り、あちこちの樺の木は白い花をつけました。

実に野原はいい匂いで一杯です。

子兎のホモイは、悦んでぴんぴん踊りながら申しました。

「ふん、いい匂いだなあ。うまいぞ、うまいぞ、鈴蘭なんかまるでパリパリだ。」

風が来たので鈴蘭は、葉や花を互いにぶっつけて、しゃりんしゃりんと鳴りました。

ホモイはもう嬉しくて、息もつかずにぴょんぴょん草の上をかけ出しました。

それからホモイは一寸立ちどまって、腕を組んでほくほくしながら、

「まるで僕は川の波の上で芸当をしているようだぞ。」と云いました。

本当にホモイは、いつか小さな流れの岸まで来て居りました。

そこには冷たい水がこぼんこぼんと音をたて、底の砂がピカピカ光っています。

ホモイは一寸頭を曲げて、

「この川を向こうへ跳び越えてやろうかな。なあに訳ないさ。けれども川の向こう側は、どうも

草が悪いからね。」とひとりごとを云いました。

　すると不意に流れの上（かみ）の方から、

「ブルルル、ピイ、ピイ、ピイ、ピイ、ブルルル、ピイ、ピイ、ピイ、ピイ。」とけたたましい声がして、うす黒いもじゃもじゃした鳥のような形のものが、ばたばたばたばたもがきながら、流れて参りました。

　ホモイは急いで岸にかけよって、じっと待ちかまえました。

　流されるのは、たしかに痩（や）せたひばりの子供です。ホモイはいきなり水の中に飛び込んで、前あしでしっかりそれを捉（つか）まえました。

　するとそのひばりの子供は、いよいよびっくりして、黄色なくちばしを大きくあけて、まるでホモイのお耳もつんぼになる位鳴くのです。

　ホモイはあわてて一生けん命、あとあしで水をけりました。そして「大丈夫（だいじょうぶ）さ、大丈夫さ。」と云いながら、その子の顔を見ますと、ホモイはぎょっとして危なく手をはなしそうになりました。それは顔中しわだらけで、くちばしが大きくて、おまけにどこかとかげに似ているのです。

　けれどもこの強い兎の子は、決してその手をはなしませんでした。怖（おそ）ろしさに口をへの字にしながらも、それをしっかりおさえて、高く水の上にさしあげたのです。

　そして二人は、どんどん流されました。ホモイは二度ほど波をかぶったので、水を余程（よほど）呑みました。それでもその鳥の子をはなしませんでした。

　すると丁度（ちょうど）、小（こ）流れの曲りかどに、一本の小さな楊（やなぎ）の枝が出て、水をピチャピチャ叩（たた）いて居（お）りました。ホモイはいきなりその枝に、青い皮の見える位深くかみつきました。そして力一杯にひばりの子を岸の柔らかな草の上に投げあげて、自分も一とびにはね上りました。

ひばりの子は草の上に倒れて、目を白くしてガタガタ顫えています。

ホモイも疲れでよろよろしましたが、無理にこらえて、楊の白い花をむしって来て、ひばりの子に被せてやりました。ひばりの子はありがとうと云うようにその鼠色の顔をあげました。

ホモイはそれを見るとぞっとして、いきなり跳び退きました。そして声をたてて逃げました。

その時、空からヒュウと矢のように降りて来たものがあります。ホモイは立ちどまって、ふりかえって見ると、それは母親のひばりでした。母親のひばりは、物も言えずにぶるぶる顫えながら、子供のひばりを強く強く抱いてやりました。

ホモイはもう大丈夫と思ったので、一目散におとうさんのお家へ走って帰りました。

兎のお母さんは、丁度、お家で白い草の束をそろえて居りましたが、ホモイを見てびっくりしました。そして

「おや、どうかしたのかい。大変顔色が悪いよ。」と云いながら棚から薬の箱をおろしました。

「おっかさん、僕ね、もじゃもじゃの鳥の子の溺れるのを助けたんです」とホモイが云いました。

兎のお母さんは箱から万能散を一服出してホモイに渡して、

「もじゃもじゃの鳥の子ってひばりかい。」と尋ねました。

ホモイは薬を受けとって、

「多分ひばりでしょう。ああ頭がぐるぐるする。お母さん。まわりが変に見えるよ。」と云いな

がら、そのままバッタリ倒れてしまいました。ひどい熱病にかかったのです。

※　※

ホモイがおとうさんやおっかさんや、兎のお医者さんのおかげで、すっかりよくなったのは、鈴蘭(すずらん)にみんな青い実ができた頃(ころ)でした。

ホモイは、或(あ)る雲の無い静かな晩、はじめてうちから一寸(ちょっと)出て見ました。

南の空を、赤い星がしきりにななめに走りました。ホモイはうっとりそれを見とれました。すると不意に、空でブルルッとはねの音がして、二疋(ひき)の小鳥が降りて参りました。

大きい方は、円い赤い光るものを大事そうに草におろして、恭々(うやうや)しく手をついて申しました。

「ホモイさま。あなたさまは私(わたくし)ども親子の大恩人でございます。」

ホモイは、その赤いものの光で、よくその顔を見て云いました。

「あなた方は先頃(せんころ)のひばりさんですか。」

母親のひばりは、

「さようでございます。先日はまことにありがとうございました。せがれの命をお助け下さいまして誠にありがとう存じます。あなた様はその為(ため)に、ご病気にさえおなりになったとの事でございましたが、もうお宜(よろ)しゅうございますか。」

親子のひばりは、沢山(たくさん)おじぎをして又(また)申しました。

「私共(わたくしども)は毎日この辺を飛びめぐりまして、あなたさまの外へお出(で)なさいますのをお待ち致(いた)して居りました。これは私どもの王からの贈物でございます。」と云いながら、ひばりはさっきの赤い光るものをホモイの前に出して、薄いうすいけむりのようなはんけちを解きました。それはとちの実位あるまんまるの玉で、中では赤い火がちらちら燃えているのです。ひばりの母親が又申しました。

「これは貝の火という宝珠でございます。王さまのお言伝ではあなた様のお手入れ次第で、この珠はどんなにでも立派になると申します。どうかお納めをねがいます。」

ホモイは笑って云いました。

「ひばりさん。僕はこんなものいりませんよ。持って行って下さい。大変きれいなもんですから、見るだけで沢山です。見たくなったら又あなたの所へ行きましょう。」

ひばりが申しました。

「いいえ、それはどうかお納めをねがいます。私共の王からの贈物でございますから。お納め下さらないと、又私はせがれと二人で切腹をしないとなりません。さ、せがれ。お暇をして。さ。おじぎ。ご免下さいませ。」

そしてひばりの親子は二三遍お辞儀をしてあわてて飛んで行ってしまいました。

ホモイは玉を取りあげて見ました。玉は赤や黄の焔をあげてせわしくせわしく燃えているように見えますが、実はやはり冷たく美しく澄んでいるのです。目にあてて空にすかして見ると、もう焔は無く、天の川が奇麗にすきとおっています。目からはなすと又ちらりちらり美しい火が燃え出します。

ホモイはそっと玉を捧げて、おうちへ入りました。そしてすぐお父さんに見せました。すると兎のお父さんが玉を手にとって、目がねをはずしてよく調べてから申しました。

「これは有名な貝の火という宝物だ。これは大変な玉だぞ。これをこのまま一生満足に持っている事のできたものは今までに鳥に二人魚に一人あっただけだという話だ。お前はよく気を付けて光をなくさないようにするんだぞ。」

ホモイが申しました。

「それは大丈夫ですよ。僕は決してなくしませんよ。そんなようなことはひばりも云っていました。僕は毎日百遍ずつ息をふきかけて百遍ずつ紅雀の毛でみがいてやりましょう。」

兎のおっかさんも、玉を手にとってよくよく眺めました。そして云いました。

「この玉は大変損じ易いという事です。けれども、又亡くなった鷲の大臣が持っていた時は、大噴火があって大臣が鳥の避難の為に、あちこちさしずをして歩いている間にこの玉が山程ある石に打たれたり、まっかな熔岩に流されたりしても、一向きずも曇りもつかないで却って前より美しくなったという話ですよ。」

兎のおとうさんが申しました。

「そうだ。それは名高いはなしだ。お前もきっと鷲の大臣のような名高い人になるだろう。よく意地悪なんかしないように気を付けないといけないぞ。」

ホモイはつかれてねむくなりました。そして自分のお床にコロリと横になって云いました。

「大丈夫だよ。僕なんかきっと立派にやるよ。玉は僕持って寝るんだから下さい。」

兎のおっかさんは玉を渡しました。ホモイはそれを胸にあててすぐねむってしまいました。

その晩の夢の奇麗なことは、黄や緑の火が空で燃えたり、野原が一面黄金の草に変わったり、沢山の小さな風車が蜂のように微かにうなって空中を飛んであるいたり、仁義をそなえた鷲の大臣が、銀色のマントをきらきら波立てて野原を見まわったり、ホモイは嬉しさに何遍も、

「ホウ。やってるぞ、やってるぞ。」と声をあげた位です。

※　※

あくる朝、ホモイは七時頃目をさまして、まず第一に玉を見ました。玉の美しいことは、昨夜よりもっとです。ホモイは玉をのぞいて、ひとりごとを云いました。

「見える、見える。あそこが噴火口だ。そら火をふいた。ふいたぞ。面白いな。まるで花火だ。おや、おや、おや、火がもくもく湧いている。二つにわかれた。奇麗だな。火花だ。火花だ。まるでいなずまだ。そら流れ出したぞ。すっかり黄金色になってしまった。うまいぞうまいぞ。そら又火をふいた。」

おとうさんはもう外へ出ていました。おっかさんがにこにこして、おいしい白い草の根や青いばらの実を持って来て云いました。

「さあ早くおかおを洗って、今日は少し運動をするんですよ。どれ一寸お見せ。まあ本当に奇麗だね。お前がおかおを洗っている間おっかさんは見ていてもいいかい。」

ホモイが云いました。

「いいとも。これはうちの宝物なんだから、おっかさんのだよ。」そしてホモイは立って家の入り口の鈴蘭の葉さきから、大粒の露を六つ程取ってすっかりお顔を洗いました。

ホモイはごはんがすんでから、玉へ百遍息をふきかけそれから百遍紅雀の毛でみがきました。そして大切に紅雀のむな毛につつんで、今まで兎の遠めがねを入れて置いた瑪瑙の箱にしまってお母さんにあずけました。そして外に出ました。

風が吹いて草の露がバラバラとこぼれます。つりがねそうが朝の鐘を
「カン、カン、カンカエコ、カンコカンコカン。」

と鳴らしています。ホモイはぴょんぴょん跳んで樺の木の下に行きました。

すると向こうから、年を老った野馬がやって参りました。ホモイは少し怖くなって戻ろうとしますと馬は丁寧におじぎをして云いました。

「あなたはホモイさまでござりますか。こんど貝の火がお前さまに参られましたそうで実に祝着に存じまする。あの玉がこの前獣の方に参りましてからもう千二百年たっていると申しまする。いや、実に私めも今朝そのおはなしを承わりまして涙を流してござります。」馬はボロボロ泣きだしました。ホモイは呆れていましたが、馬があんまり泣くものですから、ついつりこまれて一寸鼻がせらせらしました。馬は風呂敷位ある浅黄のはんけちを出して涙をふいて申しました。

「あなた様は私共の恩人でございます。どうかくれぐれもおからだを大事になされて下されませ。」そして馬は丁寧におじぎをして向こうへ歩いて行きました。

ホモイは何だか嬉しいようなおかしいような気がしてぼんやり考えながら、にわとこの木の陰

に行きました。するとそこに若い二疋の栗鼠が、仲よく白いお餅を食べて居りましたがホモイの来たのを見ると、びっくりして立ちあがって急いできもののえりを直し、目を白黒させて餅をのみ込もうとしたりしました。

　ホモイはいつものように、

「りすさん。お早う。」とあいさつをしましたが、りすは二疋共堅くなってしまって、一向語も出ませんでした。ホモイはあわてて

「りすさん。今日も一緒にどこか遊びに行きませんか。」と云いますと、りすは飛んでもないと云うように目をまん円にして顔を見合わせて、それからいきなり向こうを向いて一生けん命逃げて行ってしまいました。

　ホモイは呆れてしまいました。そして顔色を変えてうちへ戻って来て

「おっかさん。何だかみんな変な工合ですよ。りすさんなんか、もう僕を仲間はずれにしましたよ。」と云いますと兎のおっかさんが笑って答えました。

「それはそうですよ。お前はもう立派な人になったんだから、りすなんか恥ずかしいのです。ですからよく気をつけてあとで笑われないようにするんですよ。」

　ホモイが云いました。

「おっかさん。それは大丈夫ですよ。そんなら僕はもう大将になったんですか。」

　おっかさんも嬉しそうに

「まあそうです」と申しました。

ホモイが悦んで踊りあがりました。

「うまいぞ。うまいぞ。もうみんな僕のてしたなんだ。狐なんかもうこわくも何ともないや。おっかさん。僕ね、りすさんを少将にするよ。馬はね、馬は大佐にしてやろうと思うんです。」

おっかさんが笑いながら、

「そうだね、けれどもあんまりいばるんじゃありませんよ。」と申しました。ホモイは
「大丈夫ですよ。おっかさん、僕一寸外へ行って来ます。」と云ったままぴょんと野原へ飛び出しました。するとすぐ目の前を意地悪の狐が風のように走って行きます。

ホモイはぶるぶる顫えながら思い切って叫んで見ました。

「待て。狐。僕は大将だぞ。」

狐がびっくりしてふり向いて顔色を変えて申しました。

「へい。存じて居ります。へい、へい。何かご用でございますか。」

ホモイができる位威勢よく云いました。

「お前はずいぶん僕をいじめたな。今度は僕のけらいだぞ。」

狐は卒倒しそうになって、頭に手をあげて答えました。

「へいお申し訳もございません。どうかお赦しをねがいます。」

ホモイは嬉しさにわくわくしました。

「特別に許してやろう。お前を少尉にする。よく働いて呉れ。」

狐が悦んで四遍ばかり廻りました。

「へいへい。ありがとう存じます。どんな事でもいたします。少しとうもろこしを盗んで参りましょうか。」

ホモイが申しました。

「いや、それは悪いことだ。そんなことをしてはならん。」

狐は頭を掻いて申しました。

「へいへい。これからは決していたしません。何でもおいいつけを待っていたします。」

ホモイは云いました。

「そうだ。用があったら呼ぶからあっちへ行っておいで。」

狐はくるくるまわっておじぎをして向こうへ行ってしまいました。

ホモイは嬉しくてたまりません。野原を行ったり来たりひとりごとを云ったり、笑ったりさまざまの楽しいことを考えているうちに、もうお日様が砕けた鏡のように樺の木の向こうに落ちましたので、ホモイは急いでおうちに帰りました。

兎のおとうさまももう帰っていて、その晩は様々のご馳走がありました。ホモイはその晩も美しい夢を見ました。

※　※

次の日ホモイは、お母さんに云いつけられて笊を持って野原に出て、鈴蘭の実を集めながらひとりごとを云いました。

「ふん、大将が鈴蘭の実を集めるなんておかしいや。誰かに見つけられたらきっと笑われるばかりだ。狐が来るといいがなあ。」

するとと足の下が何だかもくもくしました。見るとむぐらが土をくぐってだんだん向こうへ行こうとします。ホモイは叫びました。

「むぐら、むぐら、むぐらもち、お前は僕の偉くなったことを知ってるかい。」

むぐらが土の中で云いました。

「ホモイさんでいらっしゃいますか。よく存じて居ります。」

ホモイは大威張りで云いました。

「そうか。そんならいいがね。僕、お前を軍曹にするよ。その代り少し働いて呉れないかい。」

むぐらはびくびくして尋ねました。

「へいどんなことでございますか。」

ホモイがいきなり

「鈴蘭の実を集めておくれ。」と云いました。

むぐらは土の中で冷汗をたらして頭をかきながら、

「さあ誠に恐れ入りますが私は明るい所の仕事は一向無調法でございます。」と云いました。

ホモイは怒ってしまって、

「そうかい。そんならいいよ。頼まないからあとで見ておいで。ひどいよ。」と叫びました。

むぐらは

「どうかご免をねがいます。私は長くお日様を見ますと死んでしまいますので。」としきりにおわびをします。

　ホモイは足をばたばたして

「いいよ。もういいよ。だまっておいで。」と云いました。

　その時向こうのにわとこの陰からりすが五疋ちょろちょろ出て参りました。そしてホモイの前にぴょこぴょこ頭を下げて申しました。

「ホモイさま、どうか私共に鈴蘭の実をお採らせ下さいませ。」

　ホモイが

「いいとも。さあやって呉れ。お前たちはみんな僕の少将だよ。」

　りすがきゃっきゃっ悦んで仕事にかかりました。

　この時向こうから仔馬が六疋走って来てホモイの前にとまりました。その中の一番大きなのが

「ホモイ様。私共にも何かおいいつけをねがいます。」と申しました。ホモイはすっかり悦んで

「いいとも。お前たちはみんな僕の大佐にする。僕が呼んだら、きっとかけて来ておくれ。」といいました。仔馬も悦んではねあがりました。

　むぐらが土の中で泣きながら申しました。

「ホモイさま、どうか私にもできるようなことをおいいつけ下さい。きっと立派にいたしますから。」

　ホモイはまだ怒っていましたので、

「お前なんかいらないよ。今に狐が来たらお前たちの仲間をみんなひどい目にあわしてやるよ。見ておいで。」と足ぶみをして云いました。

土の中ではひっそりとして声もなくなりました。

それからりすは、夕方迄に鈴蘭の実を沢山集めて、大騒ぎをしてホモイのうちへ運びました。

おっかさんが、その騒ぎにびっくりして出て見て云いました。

「おや、どうしたの、りすさん。」

ホモイが横から口を出して

「おっかさん。僕の腕前をごらん。まだまだ僕はどんな事でもできるんですよ。」と云いました。

兎のお母さんは返事もなく黙って考えて居りました。

すると丁度兎のお父さんが戻って来てその景色をじっと見てから申しました。

「ホモイ、お前は少し熱がありはしないか。むぐらを大変おどしたそうだな。むぐらの家ではもうみんなきちがいのようになって泣いてるよ。それにこんなに沢山の実を全体誰がたべるのだ。」

ホモイは泣きだしました。りすはしばらく気の毒そうに立って見て居りましたがとうとうこそこそみんな逃げてしまいました。

兎のお父さんが又申しました。

「お前はもうだめだ。貝の火を見てごらん。きっと曇ってしまっているから。」

兎のおっかさんまでが泣いて、前かけで涙をそっと拭いながらあの美しい玉のはいった瑪瑙の函を戸棚から取り出しました。

兎のおとうさんは函を受けとって蓋をひらいて驚きました。

珠は一昨日の晩よりももっともっと赤くもっともっと速く燃えているのです。

みんなはうっとりみとれてしまいました。兎のおとうさんはだまって玉をホモイに渡してご飯を食べはじめました。ホモイもいつか涙が乾きみんなは又気持よく笑い出し一緒にご飯をたべてやすみました。

※　※

次の朝早くホモイは又野原に出ました。

今日もよいお天気です。けれども実をとられた鈴蘭は、もう前のようにしゃりんしゃりんと葉を鳴らしませんでした。

向こうの向こうの青い野原のはずれから、狐が一生けん命に走って来て、ホモイの前にとまって、

「ホモイさん。昨日りすに鈴蘭の実を集めさせたそうですね。どうです。今日は私がいいものを見附けて来てあげましょう。それは黄色でね、もくもくしてね、失敬ですが、ホモイさん、あなたなんかまだ見たこともないやつですぜ。それから、昨日むぐらに罰をかけると仰っしゃったそうですね。あいつは元来横着だから、川の中へでも追いこんでやりましょう。」と云いました。

ホモイは
「むぐらは許しておやりよ。僕もう今朝許したよ。けれどそのおいしいたべものは少しばかり持

って来てごらん。」と云いました。

「合点、合点。十分間だけお待ちなさい。十分間ですぜ。」と云って狐はまるで風のように走って行きました。

ホモイはそこで高く叫びました。

「むぐら、むぐら、むぐらもち。もうお前は許してあげるよ。泣かなくてもいいよ。」土の中はしんとして居りました。

狐が又向こうから走って来ました。そして

「さあおあがりなさい。これは天国の天ぷらというもんですぜ。最上等の所です。」と云いながら盗んで来た角パンを出しました。

ホモイは一寸たべて見たら、実にどうもうまいのです。そこで狐に

「こんなものどの木に出来るのだい。」とたずねますと狐が横を向いて一つ「ヘン」と笑ってから申しました。

「台所という木ですよ。ダアイドコロという木ね。おいしかったら毎日持って来てあげましょう。」

ホモイが申しました。

「それではね毎日きっと三つずつ持って来ておくれ。ね。」

狐がいかにもよくのみこんだというように目をパチパチさせて云いました。

「へい。よろしゅうございます。その代り私の鶏をとるのを、あなたがとめてはいけませんよ。」

「いいとも」とホモイが申しました。

　すると狐が

「それでは今日の分、もう二つ持って来ましょう。」と云いながら又風のように走って行きました。

　ホモイはそれをおうちに持って行ってお父さんやお母さんにあげる時の事を考えて居ました。お父さんだって、こんな美味しいものは知らないだろう。僕はほんとうに孝行だなあ。

　狐が角パンを二つくわえて来てホモイの前に置いて、急いで「さよなら」と云いながらもう走っていってしまいました。ホモイは

「狐は一体毎日何をしているんだろう。」とつぶやきながらおうちに帰りました。

　今日はお父さんとお母さんとが、お家の前で鈴蘭の実を天日にほして居りました。

　ホモイが

「お父さん。いいものを持って来ましたよ。あげましょうか。まあ一寸たべてごらんなさい。」

と云いながら角パンを出しました。

　兎のお父さんはそれを受けとって眼鏡を外して、よくよく調べてから云いました。

「お前はこんなものを狐にもらったな。これは盗んで来たもんだ。こんなものをおれは食べない。」そしておとうさんは一つホモイのお母さんにあげようと持っていた分も、いきなり取りかえして自分のと一緒に土に投げつけてむちゃくちゃにふみにじってしまいました。

　ホモイはわっと泣きだしました。兎のお母さんも一緒に泣きました。

お父さんがあちこち歩きながら、

「ホモイ、お前はもう駄目だ。玉を見てごらん。もうきっと砕けているから。」と云いました。

お母さんが泣きながら函を出しました。玉はお日さまの光を受けてまるで天上に昇って行きそうに美しく燃えました。

お父さんは玉をホモイに渡してだまってしまいました。ホモイも玉を見ていつか涙を忘れてしまいました。

※　※

次の日ホモイは又野原に出ました。

狐が走って来てすぐ角パンを三つ渡しました。ホモイはそれを急いで台所の棚の上に載せて又野原に来ますと狐がまだ待って居て云いました。

「ホモイさん。何か面白いことをしようじゃありませんか。」

ホモイが「どんなこと?」とききますと狐が云いました。

「むぐらを罰にするのはどうです。あいつは実にこの野原の毒むしですぜ。そしてなまけものですぜ。あなたが一遍許すって云ったのなら今日は私だけでひとつむぐらをいじめますからあなたはだまって見ておいでなさい。いいでしょう。」

ホモイは
「うん。毒むしなら少しいじめてもよかろう。」と云いました。

狐は、しばらくあちこち地面を嗅いだり、とんとんふんでみたりしていましたが、とうとう一つの大きな石を起しました。するとその下にむぐらの親子が八疋かたまってぶるぶるふるえて居りました。狐が
「さあ、走れ、走らないと、噛み殺すぞ。」といって足をどんどんしました。むぐらの親子は
「ごめん下さい、ごめん下さい。」と云いながら逃げようとするのですがみんな目が見えない上に足が利かないものですからただ草を掻くだけです。

一番小さな子はもう仰向けになって気絶したようです。狐ははがみをしました。ホモイも思わず「シッシッ」と云って足を鳴らしました。その時、「こらっ何をする。」と云う大きな声がして、狐がくるくると四遍ばかりまわってやがて一目散に逃げました。

見るとホモイのお父さんが来ているのです。

お父さんは、急いでむぐらをみんな穴に入れてやって、上へもとのように石をのせて、それからホモイの首すじをつかんで、ぐんぐんおうちへ引いて行きました。

おっかさんが出て来て泣いておとうさんにすがりました。お父さんが云いました。

「ホモイ。お前はもう駄目だぞ。今日こそ貝の火は砕けたぞ。出して見ろ。」

お母さんが涙をふきながら函を出して来ました。お父さんは函の蓋を開いて見ました。

するとお父さんはびっくりしてしまいました。貝の火が今日位美しいことはまだありませんでした。それはまるで赤や緑や青や様々の火が烈しく戦争をして、地雷火をかけたり、のろしを上げたり、又いなずまが閃いたり、光の血が流れたり、そうかと思うと水色の焔が玉の全体をパッ

と占領して、今度はひなげしの花や、黄色のチュウリップ、薔薇やほたるかずらなどが、一面風にゆらいだりしているように見えるのです。

兎のお父さんは黙って玉をホモイに渡しました。ホモイは間もなく涙も忘れて貝の火を眺めてよろこびました。

おっかさんもやっと安心して、おひるの支度をしました。

みんなは座って角パンを喰べました。

お父さんが云いました。

「ホモイ。狐には気をつけないといけないぞ。」

ホモイが申しました。

「お父さん。大丈夫ですよ。狐なんか何でもありませんよ。僕には貝の火があるのですもの。あの玉が砕けたり曇ったりするもんですか。」

お母さんが申しました。

「本当にね、いい宝石だね。」

ホモイは得意になって云いました。

「お母さん。僕はね、うまれつきあの貝の火と離れないようになってるんですよ。たとえ僕がどんな事をしたってあの貝の火がどこかへ飛んで行くなんてそんな事があるもんですか。それに僕毎日百ずつ息をかけてみがくんですもの。」

「実際そうだといいがな。」とお父さんが申しました。

その晩ホモイは夢を見ました。高い高い錐のような山の頂上に片脚で立っているのです。ホモイはびっくりして泣いて目をさましました。

※　※

次の朝ホモイは又野に出ました。

今日は陰気な霧がジメジメ降っています。木も草もじっと黙り込みました。ぶなの木さえ葉をちらっとも動かしません。

ただあのつりがねそうの朝の鐘だけは高く高く空にひびきました。

「カンカンカンカエコカンコカンコカン。」

おしまいの音がカアンと向こうから戻って来ました。

そして狐が角パンを三つ持って半ズボンをはいてやって来ました。

「狐。お早う。」とホモイが云いました。

狐はいやな笑いようをしながら
「いや、昨日はびっくりしましたぜ。ホモイさんのお父さんも随分頑固ですな。しかしどうです。すぐご機嫌が直ったでしょう。今日は一つうんと面白いことをやりましょう。動物園をあなたは嫌いですか。」と云いました。

ホモイが
「うん。嫌いではない」と申しました。

狐が懐から小さな網を出しました。そして
「そら、こいつをかけて置くととんぼでも蜂でも雀でもかけすでも、もっと大きなやつでもひっかかりますぜ。それを集めて一つ動物園をやろうじゃありませんか。」と云いました。

ホモイは一寸その動物園の景色を考えて見てたまらなく面白くなりました。そこで
「やろう。けれども、大丈夫その網でとれるかい。」と云いました。

狐がいかにもおかしそうにして
「大丈夫ですとも。あなたは早くパンを置いておいでなさい。そのうちに私はもう百位は集めて置きますから。」と云いました。

ホモイは、急いで角パンを取ってお家に帰って、台所の棚の上に載せて、又急いで帰って来ました。

見るともう狐は霧の中の樺の木に、すっかり網をかけて、口を大きくあけて笑っていました。

「はははは、ご覧なさい。もう四疋つかまりましたよ」

狐はどこから持って来たか大きな硝子箱を指さして云いました。

本当にその中にはかけすと鶯と紅雀とひわと四疋入ってばたばたして居りました。

けれどもホモイの顔を見ると、みんな急に安心したように静まりました。

鶯が硝子越しに申しました。

「ホモイさん。どうかあなたのお力で助けてやって下さい。私らは狐につかまったのです。あしたはきっと食われます。お願いでございます。ホモイさん。」

ホモイはすぐ箱を開こうとしました。

すると、狐が額に黒い皺をよせて、眼を釣りあげてどなりました。

「ホモイ。気をつけろ。その箱に手でもかけて見ろ。食い殺すぞ。泥棒め。」

まるで口が横に裂けそうです。

ホモイは怖くなってしまって、一目散におうちへ帰りました。今日はおっかさんも野原に出て、うちに居ませんでした。

ホモイはあまり胸がどきどきするのであの貝の火を見ようと函を出して蓋を開きました。

それはやはり火のように燃えて居りました。

けれども気のせいか、一所小さな小さな針でついた位の白い曇りが見えるのです。

ホモイはどうもそれが気になって仕方ありませんでした。そこでいつものように、フッフッと息をかけて、紅雀の胸毛で上を軽くこすりました。

けれども、どうもそれがとれないのです。その時、お父さんが帰って来ました。そしてホモイの顔色の変わっているのを見て云いました。

「ホモイ。貝の火が曇ったのか。大変お前の顔色が悪いよ。どれお見せ。」そして玉をすかして見て笑って云いました。

「なあに、すぐ除れるよ。黄色の火なんか却って今迄より余計燃えている位だ。どれ。紅雀の毛を少しお呉れ。」そしてお父さんは熱心にみがきはじめました。けれどもどうも曇りがとれるどころか段々大きくなるらしいのです。

お母さんが帰って参りました。そして黙ってお父さんから貝の火を受け取ってすかして見てため息をついて今度は自分で息をかけてみがきました。

実にみんな、だまってため息ばかりつきながら、交る交る一生けん命みがいたのです。

もう夕方になりました。お父さんはにわかに気がついたように立ちあがって、

「まあご飯を食べよう。今夜一晩油に漬けて置いて見ろ。それが一番いいという話だ。」といいました。お母さんはびっくりして

「まあ、ご飯の支度を忘れていた。なんにもこさえてない。一昨日のすずらんの実と今朝の角パンだけを喰べましょうか。」と云いました。

「うんそれでいいさ」とおとうさんが云いました。ホモイはため息をついて玉を函に入れてじっとそれを見詰めました。

みんなはだまってご飯をすましました。

お父さんは

「どれ油を出してやるかな」と云いながら棚からかやの実の油の瓶をおろしました。

ホモイはそれを受けとって貝の火を入れた函に注ぎました。そしてあかりをけしてみんな早くからねてしまいました。

※　　※

夜中にホモイは眼をさましました。

そしてこわごわ起きあがってそっと枕もとの貝の火を見ました。貝の火は、油の中で魚の眼玉のように銀色に光っています。もう赤い火は燃えていませんでした。

ホモイは大声で泣き出しました。

兎のお父さんやお母さんがびっくりして起きてあかりをつけました。

貝の火はまるで鉛の玉のようになっています。ホモイは泣きながら狐の網のはなしをお父さんにしました。

お父さんは大変あわてて急いで着物をきかえながら云いました。

「ホモイ。お前は馬鹿だぞ。俺も馬鹿だった。お前はひばりの子供の命を助けてあの玉を貰ったのじゃないか。それをお前は一昨日なんか生れつきだなんて云っていた。さあ野原へ行こう。狐がまだ網を張って居るかもしれない。お前はいのちがけで狐とたたかうんだぞ。勿論おれも手伝う。」

ホモイは泣いて立ちあがりました。兎のお母さんも泣いて二人の後を追いました。

霧がポシャポシャ降って、もう夜があけかかっています。

狐はまだ網をかけて、樺の木の下に居ました。そして三人を見て口を曲げて大声でわらいました。ホモイのお父さんが叫びました。

「狐。お前はよくもホモイをだましたな。さあ決闘をしろ。」

狐が実に悪党らしい顔をして云いました。

「へん。貴様ら三疋ばかり食い殺してやってもいいが、俺もけがでもするとつまらないや。おれはもっといい食べものがあるんだ。」

　そして函をかついで逃げ出そうとしました。

「待てこら。」とホモイのお父さんがガラスの箱を押さえたので狐はよろよろしてとうとう函を置いたまま逃げて行ってしまいました。

　見ると箱の中に鳥が百疋ばかり、みんな泣いていました。雀やかけすやうぐいすは勿論、大きな大きな梟や、それにひばりの親子までがはいっているのです。

　ホモイのお父さんは蓋をあけました。

　鳥がみんな飛び出して地面に手をついて声をそろえて云いました。

「ありがとうございます。ほんとうに度々おかげ様でございます。」

　するとホモイのお父さんが申しました。

「どう致しまして、私共は面目次第もございません。あなた方の王さまからいただいた玉をとうとう曇らしてしまったのです。」

　鳥が一遍に云いました。

「まあどうしたのでしょう。どうか一寸拝見いたしたいものです。」

「さあどうぞ」と云いながらホモイのお父さんはみんなをおうちの方へ案内しました。鳥はぞろぞろついて行きました。ホモイはみんなのあとを泣きながらしょんぼりついて行きました。梟が大股にのっそのっそと歩きながら時々こわい眼をしてホモイをふりかえって見ました。

　みんなはおうちに入りました。

鳥は、ゆかや棚や机やうち中のあらゆる場所をふさぎました。梟が目玉を途方もない方に向けながら、しきりに「オホン、オホン」とせきばらいをします。

ホモイのお父さんがただの白い石になってしまった貝の火を取りあげて、

「もうこんな工合です。どうか沢山笑ってやって下さい。」と云うとたん、貝の火は鋭くカチッと鳴って二つに割れました。

と思うと、パチパチパチッと烈しい音がして見る見るまるで煙のように砕けました。

ホモイが入口でアッと云って倒れました。目にその粉が入ったのです。みんなは驚いてそっちへ行こうとしますと今度はそこらにピチピチピチと音がして煙がだんだん集まり、やがて立派ないくつかのかけらになり、おしまいにカタッと二つかけらが組み合って、すっかり昔の貝の火になりました。玉はまるで噴火のように燃え、夕日のようにかがやき、ヒューと音を立てて窓から外の方へ飛んで行きました。

鳥はみな興をさまして、一人去り二人去り今はふくろうだけになりました。ふくろうはじろじろ室の中を見まわしながら

「たった六日だったな。ホッホ

たった六日だったな。ホッホ。」とあざ笑って肩をゆすぶって大股に出て行きました。

それにホモイの目は、もうさっきの玉のように白く濁ってしまって、まったく物が見えなくなったのです。

はじめからおしまいまでお母さんは泣いてばかり居ました。お父さんが腕を組んでじっと考え

ていましたがやがてホモイのせなかを静かに叩いて云いました。

「泣くな。こんなことはどこにもあるのだ。それをよくわかったお前は、一番さいわいなのだ。目はきっと又よくなる。お父さんがよくしてやるから。な。泣くな。」

窓の外では霧が晴れて鈴蘭の葉がきらきら光り、つりがねそうは

「カン、カン、カンカエコカンコカンコカン。」と朝の鐘を高く鳴らしました。

いちょうの実

いちょうのみ

そらのてっぺんなんか冷たくて冷たくてまるでカチカチの灼きをかけた鋼です。

そして星が一杯です。けれども東の空はもう優しい桔梗の花びらのようにあやしい底光りをはじめました。

その明け方の空の下、ひるの鳥でも行かない高い所を鋭い霜のかけらが風に流されてサラサラサラサラ南の方へ飛んで行きました。

実にその微かな音が丘の上の一本いちょうの木に聞こえる位澄み切った明け方です。

いちょうの実はみんな一度に目をさましました。そしてドキッとしたのです。今日こそはたしかに旅立ちの日でした。みんなも前からそう思っていましたし、昨日の夕方やって来た二羽の烏もそう云いました。

「僕なんか落ちる途中で眼がまわらないだろうか。」一つの実が云いました。

「よく目をつぶって行けばいいさ。」も一つが答えました。

「そうだ。忘れていた。僕水筒に水をつめて置くんだった。」

「僕はね、水筒の外に薄荷水を用意したよ。少しやろうか。旅へ出てあんまり心持ちの悪い時は一寸飲むといいっておっかさんが云ったぜ。」

「なぜおっかさんは僕へは呉れないんだろう。」

「だから、僕あげるよ。お母さんを悪く思っちゃすまないよ。」

そうです。この銀杏の木はお母さんでした。

今年は千人の黄金色の子供が生れたのです。

そして今日こそ子供らがみんな一緒に旅に発つのです。お母さんはそれをあんまり悲しんで扇形の黄金の髪の毛を昨日までにみんな落としてしまいました。

「ね、あたしどんな所へ行くのかしら。」一人のいちょうの女の子が空を見あげて呟やくように云いました。

「あたしだってわからないわ、どこへも行きたくないわね。」も一人が云いました。

「あたしどんなめにあってもいいからお母さん所に居たいわ。」

「だっていけないんですって。風が毎日そう云ったわ。」

「いやだわね。」

「そしてあたしたちもみんなばらばらにわかれてしまうんでしょう。」

「ええ、そうよ。もうあたしなんにもいらないわ。」

「あたしもよ。今までいろいろわが儘ばっかし云って許して下さいね。」

「あら、あたしこそ。あたしこそだわ。許して頂戴。」

東の空の桔梗の花びらはもういつかしぼんだように力なくなり、朝の白光りがあらわれはじめました。星が一つずつ消えて行きます。

木の一番一番高い処に居た二人のいちょうの男の子が云いました。

「そら、もう明るくなったぞ。嬉しいなあ。僕はきっと黄金色のお星さまになるんだよ。」

「僕もなるよ。きっとここから落ちればすぐ北風が空へ連れてって呉れるだろうね。」

「僕は北風じゃないと思うんだよ。北風は親切じゃないんだよ。僕はきっと烏さんだろうと思うね。」

「そうだ。きっと烏さんだ。烏さんは偉いんだよ。ここから遠くてまるで見えなくなるまで一息に飛んで行くんだからね。頼んだら僕ら二人位きっと一遍に青ぞら迄連れて行って呉れるぜ。」

「頼んで見ようか。早く来るといいな。」

その少し下でもう二人が云いました。

「僕は一番はじめに杏の王様のお城をたずねるよ。そしてお姫様をさらって行ったばけ物を退治するんだ。そんなばけ物がきっとどこかにあるね。」

「うん。あるだろう。けれどもあぶないじゃないか。ばけ物は大きいんだよ。僕たちなんか鼻でふっと吹き飛ばされちまうよ。」

「僕ね、いいもの持ってるんだよ。だから大丈夫さ。見せようか。そら、ね。」

「これお母さんの髪でこさえた網じゃないの。」

「そうだよ。お母さんが下すったんだよ。何か恐ろしいことのあったときは此の中にかくれるんだって。僕ね、この網をふところに入れてばけ物に行ってね。もしもし。今日は、僕を呑めますか呑めないでしょう。とこう云うんだよ。ばけ物は怒ってすぐ呑むだろう。僕はその時ばけ物の胃袋の中でこの網を出してね、すっかり被っちまうんだ。それからおなか中をめっちゃめちゃにこわしちまうんだよ。そら、ばけ物はチブスになって死ぬだろう。そこで僕は出て来て杏のお姫様を連れてお城に帰るんだ。そしてお姫様を貰うんだよ。」

「本当にいいね、そんならその時僕はお客様になって行ってもいいだろう。」

「いいともさ。僕、国を半分わけてあげるよ。それからお母さんへは毎日お菓子やなんか沢山あげるんだ。」

星がすっかり消えました。東のそらは白く燃えているようです。木が俄かにざわざわしました。もう出発に間もないのです。

「僕、靴が小さいや。面倒くさい。はだしで行こう。」

「そんなら僕のと替えよう。僕のは少し大きいんだよ。」

「替えよう。あ、丁度いいぜ。ありがとう。」

「わたし困ってしまうわ、おっかさんに貰った新しい外套が見えないんですもの。」

「早くおさがしなさいよ。どの枝に置いたの。」

「忘れてしまったわ。」

「困ったわね。これから非常に寒いんでしょう。どうしても見附けないといけなくってよ。」

「そら、ね。いいぱんだろう。ほし葡萄が一寸顔を出してるだろう。早くかばんへ入れ給え。もうお日さまがお出ましになるよ。」

「ありがとう。じゃ貰うよ。ありがとう。一緒に行こうね。」

「困ったわ、わたし、どうしてもないわ。ほんとうにわたしどうしましょう。」

「わたしと二人で行きましょうよ。わたしのを時々貸してあげるわ。凍えたら一緒に死にましょうよ。」

東の空が白く燃え、ユラリユラリと揺れはじめました。おっかさんの木はまるで死んだようになってじっと立っています。

突然光の束が黄金の矢のように一度に飛んで来ました。子供らはまるで飛びあがる位輝きました。

北から氷のように冷たい透きとおった風がゴーッと吹いて来ました。

「さよなら、おっかさん。」「さよなら、おっかさん。」子供らはみんな一度に雨のように枝から飛び下りました。

北風が笑って、

「今年もこれでまずさよならさよならって云うわけだ。」と云いながらつめたいガラスのマントをひらめかして向こうへ行ってしまいました。

お日様は燃える宝石のように東の空にかかり、あらんかぎりのかがやきを悲しむ母親の木と旅に出た子供らとに投げておやりなさいました。

よだかの星

よだかのほし

よだかは、実にみにくい鳥です。

顔は、ところどころ、味噌をつけたようにまだらで、くちばしは、ひらたくて、耳までさけています。

足は、まるでよぼよぼで、一間とも歩けません。

ほかの鳥は、もう、よだかの顔を見ただけでも、いやになってしまうという工合でした。

たとえば、ひばりも、あまり美しい鳥ではありませんが、よだかよりは、ずっと上だと思っていましたので、夕方など、よだかにあうと、さもさもいやそうに、しんねりと目をつぶりながら、首をそっ方へ向けるのでした。もっとちいさなおしゃべりの鳥などは、いつでもよだかのまっこうから悪口をしました。

「ヘン。又出て来たね。まあ、あのざまをごらん。ほんとうに、鳥の仲間のつらよごしだよ。」

「ね、まあ、あのくちの大きいことさ。きっと、かえるの親類か何かなんだよ。」

こんな調子です。おお、よだかでないただのたかならば、こんな生はんかのちいさい鳥は、もう名前を聞いただけでも、ぶるぶるふるえて、顔色を変えて、からだをちぢめて、木の葉のかげにでもかくれたでしょう。ところが夜だかは、ほんとうは鷹の兄弟でも親類でもありませんでした。かえって、よだかは、あの美しいかわせみや、鳥の中の宝石のような蜂すずめの兄さんでした。蜂すずめは花の蜜をたべ、かわせみはお魚を食べ、夜だかは羽虫をとってたべるのでした。それによだかには、するどい爪もするどいくちばしもありませんでしたから、どんなに弱い鳥でも、よだかをこわがる筈はなかったのです。

それなら、たかという名のついたことは不思議なようですが、これは、一つはよだかのはねが無暗に強くて、風を切って翔けるときなどは、まるで鷹のように見えたことと、も一つはなきごえがするどくて、やはりどこか鷹に似ていた為です。もちろん、鷹は、これをひじょうに気にかけて、いやがっていました。それですから、よだかの顔さえ見ると、肩をいからせて、早く名前をあらためろ、名前をあらためろと、いうのでした。

ある夕方、とうとう、鷹がよだかのうちへやって参りました。

「おい。居るかい。まだお前は名前をかえないのか。ずいぶんお前も恥知らずだな。お前とおれでは、よっぽど人格がちがうんだよ。たとえばおれは、青いそらをどこまででも飛んで行く。おまえは、曇ってうすぐらい日か、夜でなくちゃ、出て来ない。それから、おれのくちばしやつめを見ろ。そして、よくお前のとくらべて見るがいい。」

「鷹さん。それはあんまり無理です。私の名前は私が勝手につけたのではありません。神さまから下さったのです。」

「いいや。おれの名なら、神さまから貰ったのだと云ってもよかろうが、お前のは、云わば、おれと夜と、両方から借りてあるんだ。さあ返せ。」

「鷹さん。それは無理です。」

「無理じゃない。おれがいい名を教えてやろう。市蔵というんだ。市蔵とな。いい名だろう。そこで、名前を変えるには、改名の披露というものをしないといけない。いいか。それはな、首へ市蔵と書いたふだをぶらさげて、私は以来市蔵と申しますと、口上を云って、みんなの所をおじぎしてまわるのだ。」

「そんなことはとても出来ません。」

「いいや。出来る。そうしろ。もしあさっての朝までに、お前がそうしなかったら、もうすぐ、つかみ殺すぞ。つかみ殺してしまうから、そう思え。おれはあさっての朝早く、鳥のうちを一軒ずつまわって、お前が来たかどうかを聞いてあるく。一軒でも来なかったという家があったら、もう貴様もその時がおしまいだぞ。」

「だってそれはあんまり無理じゃありませんか。そんなことをする位なら、私はもう死んだ方がましです。今すぐ殺して下さい。」

「まあ、よく、あとで考えてごらん。市蔵なんてそんなにわるい名じゃないよ。」鷹は大きなはねを一杯にひろげて、自分の巣の方へ飛んで帰って行きました。

よだかは、じっと目をつぶって考えました。

（一たい僕は、なぜこうみんなにいやがられるのだろう。僕の顔は、味噌をつけたようで、口は裂けてるからなあ。それだって、僕は今まで、なんにも悪いことをしたことがない。赤ん坊のめじろが巣から落ちていたときは、助けて巣（す）へ連れて行ってやった。そしたらめじろは、赤ん坊をまるでぬす人からでもとりかえすように僕からひきはなしたんだなあ。それからひどく僕を笑ったっけ。それにああ、今度は市蔵だなんて、首へふだをかけるなんて、つらいはなしだなあ。）

あたりは、もううすくらくなっていました。夜だかは巣から飛び出しました。雲が意地悪く光って、低くたれています。夜だかはまるで雲とすれすれになって、音なく空を飛びまわりました。

それからにわかによだかは口を大きくひらいて、はねをまっすぐに張って、まるで矢のようにそらをよこぎりました。小さな羽虫が幾匹（いくひき）も幾匹もその咽喉（のど）にはいりました。

からだがつちにつくかつかないうちに、よだかはひらりとまたそらへはねあがりました。もう雲は鼠色（ねずみいろ）になり、向こうの山には山焼けの火がまっ赤です。

夜だかが思い切って飛ぶときは、そらがまるで二つに切れたように思われます。一疋（ぴき）の甲虫（かぶとむし）が、夜だかの咽喉にはいって、ひどくもがきました。よだかはすぐそれを呑（の）みこみましたが、その時何だかせなかがぞっとしたように思いました。

雲はもうまっくろく、東の方だけ山やけの火が赤くうつって、恐（おそ）ろしいようです。よだかはむねがつかえたように思いながら、又（また）そらへのぼりました。

また一疋の甲虫が、夜だかののどに、はいりました。そしてまるでよだかの咽喉をひっかいてばたばたしました。よだかはそれを無理にのみこんでしまいましたが、その時、急に胸がどきっとして、夜だかは大声をあげて泣き出しました。泣きながらぐるぐるぐるぐる空をめぐったのです。

（ああ、かぶとむしや、たくさんの羽虫が、毎晩僕に殺される。そしてそのただ一つの僕がこんどは鷹に殺される。それがこんなにつらいのだ。ああ、つらい、つらい。僕はもう虫をたべないで餓えて死のう。いやその前にもう鷹が僕を殺すだろう。いや、その前に、僕は遠くの遠くの空の向こうに行ってしまおう。）

　山焼けの火は、だんだん水のように流れてひろがり、雲も赤く燃えているようです。

　よだかはまっすぐに、弟の川せみの所へ飛んで行きました。きれいな川せみも、丁度起きて遠くの山火事を見ていた所でした。そしてよだかの降りて来たのを見て云いました。

「兄さん。今晩は。何か急のご用ですか。」

「いいや、僕は今度遠い所へ行くからね、その前一寸お前に遭いに来たよ。」

「兄さん。行っちゃいけませんよ。蜂雀もあんな遠くにいるんですし、僕ひとりぼっちになってしまうじゃありませんか。」

「それはね。どうも仕方ないのだ。もう今日は何も云わないで呉れ。そしてお前もね、どうしてもとらなければならない時のほかはいたずらにお魚を取ったりしないようにして呉れ。ね。さよなら。」

「兄さん。どうしたんです。まあもう一寸お待ちなさい。」

「いや、いつまで居てもおんなじだ。はちすずめへ、あとでよろしく云ってやって呉れ。さよなら。もうあわないよ。さよなら。」

　よたかは泣きながら自分のお家へ帰って参りました。みじかい夏の夜はもうあけかかっていました。

羊歯の葉は、よあけの霧を吸って、青くつめたくゆれました。よだかは高くきしきしきしと鳴きました。そして巣の中をきちんとかたづけ、きれいにからだ中のはねや毛をそろえて、また巣から飛び出しました。

霧がはれて、お日さまが丁度東からのぼりました。夜だかはぐらぐらするほどまぶしいのをこらえて、矢のように、そっちへ飛んで行きました。

「お日さん、お日さん。どうぞ私をあなたの所へ連れてって下さい。灼けて死んでもかまいません。私のようなみにくいからだでも灼けるときには小さなひかりを出すでしょう。どうか私を連れてって下さい。」

行っても行っても、お日さまは近くなりませんでした。かえってだんだん小さく遠くなりながらお日さまが云いました。

「お前はよだかだな。なるほど、ずいぶんつらかろう。今夜そらを飛んで、星にそうたのんでごらん。お前はひるの鳥ではないのだからな。」

夜だかはおじぎを一つしたと思いましたが、急にぐらぐらしてとうとう野原の草の上に落ちてしまいました。そしてまるで夢を見ているようでした。からだがずうっと赤や黄の星のあいだをのぼって行ったり、どこまでも風に飛ばされたり、又鷹が来てからだをつかんだりしたようでした。

つめたいものがにわかに顔に落ちました。よだかは眼をひらきました。一本の若いすすきの葉から露がしたたったのでした。もうすっかり夜になって、空は青ぐろく、一面の星がまたたいていました。よだかはそらへ飛びあがりました。今夜も山やけの火はまっかです。よだかはその火のかすかな照りと、つめたいほしあかりの中をとびめぐりました。それからもう一ぺん飛びめぐりました。そして思い切って西のそらのあの美しいオリオンの星の方に、まっすぐに飛びながら叫びました。

「お星さん。西の青じろいお星さん。どうか私をあなたのところへ連れてって下さい。灼けて死んでもかまいません。」

　オリオンは勇ましい歌をつづけながらよだかなどはてんで相手にしませんでした。よだかは泣きそうになって、よろよろと落ちて、それからやっとふみとまって、もう一ぺんとびめぐりました。それから、南の大犬座の方へまっすぐに飛びながら叫びました。

「お星さん。南の青いお星さん。どうか私をあなたの所へつれてって下さい。やけて死んでもかまいません。」

　大犬は青や紫や黄やうつくしくせわしくまたたきながら云いました。

「馬鹿を云うな。おまえなんか一体どんなものだい。たかが鳥じゃないか。おまえのはねでここまで来るには、億年兆年億兆年だ。」そしてまた別の方を向きました。

　よだかはがっかりして、よろよろ落ちて、それから又二へん飛びめぐりました。それから又思い切って北の大熊星の方へまっすぐに飛びながら叫びました。

「北の青いお星さま、あなたの所へどうか私を連れてって下さい。」

大熊星はしずかに云いました。

「余計なことを考えるものではない。少し頭をひやして来なさい。そう云うときは、氷山の浮いている海の中へ飛び込むか、近くに海がなかったら、氷をうかべたコップの水の中へ飛び込むのが一等だ。」

よだかはがっかりして、よろよろ落ちて、それから又、四へんそらをめぐりました。そしてもう一度、東から今のぼった天の川の向こう岸の鷲の星に叫びました。

「東の白いお星さま、どうか私をあなたの所へ連れてって下さい。やけて死んでもかまいません。」

鷲は大風に云いました。

「いいや、とてもとても、話にも何にもならん。星になるには、それ相応の身分でなくちゃいかん。又よほど金もいるのだ。」

よだかはもうすっかり力を落としてしまって、はねを閉じて、地に落ちて行きました。そしてもう一尺で地面にその弱い足がつくというとき、よだかは俄かにのろしのようにそらへとびあがりました。そらのなかほどへ来て、よだかはまるで鷲が熊を襲うときするように、ぶるっとからだをゆすって毛をさかだてました。

それからキシキシキシキシキシッと高く高く叫びました。その声はまるで鷹でした。野原や林にねむっていたほかのとりは、みんな目をさまして、ぶるぶるふるえながら、いぶかしそうにほしぞらを見あげました。

夜だかは、どこまでも、どこまでも、まっすぐに空へのぼって行きました。もう山焼けの火はたばこの吸殻（すいがら）のくらいにしか見えません。よだかはのぼってのぼって行きました。
寒さにいきはむねに白く凍（こお）りました。空気がうすくなった為（ため）に、はねをそれはそれはせわしくうごかさなければなりませんでした。

それだのに、ほしの大きさは、さっきと少しも変りません。つくいきはふいごのようです。寒さや霜（しも）がまるで剣（けん）のようによだかを刺（さ）しました。よだかははねがすっかりしびれてしまいました。そしてなみだぐんだ目をあげてもう一ぺんそらを見ました。そうです。これがよだかの最後でした。もうよだかは落ちているのか、のぼっているのか、さかさになっているのか、上を向いているのかも、わかりませんでした。ただこころもちはやすらかに、その血のついた大きなくちばしは、横にまがっては居ましたが、たしかに少しわらって居（お）りました。

それからしばらくたってよだかははっきりまなこをひらきました。そして自分のからだがいま燐（りん）の火のような青い美しい光になって、しずかに燃えているのを見ました。

すぐとなりは、カシオピア座でした。天（あま）の川（がわ）の青じろいひかりが、すぐうしろになっていました。

そしてよだかの星は燃えつづけました。いつまでもいつまでも燃えつづけました。

今でもまだ燃えています。

さるのこしかけ

さるのこしかけ

楢夫は夕方、裏の大きな栗の木の下に行きました。その幹の、丁度楢夫の目位高い所に、白いきのこが三つできていました。まん中のは大きく、両がわの二つはずっと小さく、そして少し低いのでした。

楢夫は、じっとそれを眺めて、ひとりごとを言いました。

「ははあ、これがさるのこしかけだ。けれどもこいつへ腰をかけるようなやつなら、ずいぶん小さな猿だ。そして、まん中にかけるのがきっと小猿の大将で、両わきにかけるのは、ただの兵隊にちがいない。いくら小猿の大将が威張ったって、僕のにぎりこぶしの位もないのだ。どんな顔をしているか、一ぺん見てやりたいもんだ。」

そしたら、きのこの上に、ひょっこり三疋の小猿があらわれて腰掛けました。

やっぱり、まん中のは、大将の軍服で、小さいながら勲章も六つばかり提げています。両わきの小猿は、あまり小さいので、肩章がよくわかりませんでした。

小猿の大将は、手帳のようなものを出して、足を重ねてぶらぶらさせながら、楢夫に云いました。

「おまえが楢夫か。ふん。何歳になる。」

楢夫はばかばかしくなってしまいました。小さな小さな猿の癖に、軍服などを着て、手帳まで出して、人間をさも捕虜か何かのように扱うのです。楢夫が申しました。

「何だい。小猿。もっと語を丁寧にしないと僕は返事なんかしないぞ。」

小猿が顔をしかめて、どうも笑ったらしいのです。もう夕方になって、そんな小さな顔はよくわかりませんでした。

けれども小猿は、急いで手帳をしまって、今度は手を膝の上で組み合わせながら云いました。

「仲々強情な子供だ。俺はもう六十になるんだぞ。そして陸軍大将だぞ。」

楢夫は怒ってしまいました。

「何だい。六十になっても、そんなにちいさいなら、もうさきの見込みが無いやい。腰掛けのまま下へ落すぞ。」

小猿が又笑ったようでした。どうも、大変、これが気にかかりました。

けれども小猿は急にぶらぶらさせていた足をきちんとそろえておじぎをしました。そしていやに丁寧に云いました。

「楢夫さん。いや、どうか怒らないで下さい。私はいい所へお連れしようと思って、あなたのお年までお尋ねしたのです。どうです。おいでになりませんか。いやになったらすぐお帰りになったらいいでしょう。」

家来の二疋の小猿も、一生けん命、眼をパチパチさせて、楢夫を案内するようにまごころを見せましたので、楢夫も一寸行って見たくなりました。なあに、いやになったら、すぐ帰るだけだ。

「うん。行ってもいい。しかしお前らはもう少し語に気をつけないといかんぞ。」

小猿の大将は、むやみに沢山うなずきながら、腰掛けの上に立ちあがりました。

見ると、栗の木の三つのきのこの上に、三つの小さな入口ができていました。それから栗の木の根もとには、楢夫の入れる位の、四角な入口があります。小猿の大将は、自分の入口に一寸顔を入れて、それから振り向いて、楢夫に申しました。

「只今、電燈を点けますからどうかそこからおはいり下さい。入口は少し狭うございますが、中は大へん楽でございます。」

小猿は三疋、中にはいってしまい、それと一緒に栗の木の中に、電燈がパッと点きました。

楢夫は、入口から、急いで這い込みました。

栗の木なんて、まるで煙突のようなものでした。十間置き位に、小さな電燈がついて、小さな小さなはしご段がまわりの壁にそって、どこまでも上の方に、のぼって行くのでした。

「さあさあ、こちらへおいで下さい。」小猿はもうどんどん上へ昇って行きます。楢夫は一ぺんに、段を百ばかりずつ上って行きました。それでも、仲々、三疋には敵いません。

楢夫はつかれて、はあはあしながら、云いました。

「ここはもう栗の木のてっぺんだろう。」

猿が、一度にきゃっきゃっ笑いました。

「まあいいからついておいでなさい。」

上を見ますと、電燈の列が、まっすぐにだんだん上って行って、しまいはもうあんまり小さく、一つ一つの灯が見わかず、一本の細い赤い線のように見えました。

小猿の大将は、楢夫の少し参った様子を見ていかにも意地の悪い顔をして又申しました。

「さあも少し急ぐのです。ようございますか。私共に追いついておいでなさい。」

楢夫が申しました。

「此処へしるしを付けて行こう。うちへ帰る時、まごつくといけないから。」

猿が、一度に、きゃっきゃっ笑いました。生意気にも、ただの兵隊の小猿まで、笑うのです。

大将が、やっと笑うのをやめて申しました。

「いや、お帰りになりたい時は、いつでもお送りいたします。決してご心配はありません。それより、まあ、駈ける用意をなさい。ここは最大急行で通らないといけません。」

楢夫も仕方なく、駈け足のしたくをしました。

「さあ、行きますぞ。一二の三。」小猿はもう駈け出しました。

楢夫も一生けん命、段をかけ上りました。実に小猿は速いのです。足音がぐゎんぐゎん響き電燈が矢の様に次から次と下の方へ行きました。もう楢夫は、息が切れて、苦しくて苦しくてたまりません。それでも、一生けん命、駈けあがりました。もう、走っているかどうかもわからない位です。突然眼の前がパッと青白くなりました。そして、楢夫は、眩しいひるまの草原の中に飛び出しました。そして草に足をからまれてばったり倒れました。そこは林に囲まれた小さな明地で、小猿は緑の草の上を、列んでだんだんゆるやかに、三べんばかり廻ってから、楢夫のそばへやって来ました。大将が鼻をちぢめて云いました。

「ああひどかった。あなたもお疲れでしょう。もう大丈夫です。これからはこんな切ないことはありません。」

楢夫が息をはずませながら、ようやく起き上って云いました。

「ここはどこだい。そして、今頃お日さまがあんな空のまん中にお出でになるなんて、おかしいじゃないか。」

大将が申しました。

「いや、ご心配ありません。ここは種山ヶ原です。」

楢夫がびっくりしました。

「種山ヶ原？　とんでもない処へ来たな。すぐうちへ帰れるかい。」

「帰れますとも。今度は下りですから訳ありません。」

「そうか。」と云いながら楢夫はそこらを見ましたが、もう今やって来たトンネルの出口はなく、却って、向こうの木のかげや、草のしげみのうしろで、沢山の小猿が、きょろきょろこっちをのぞいているのです。

大将が、小さな剣をキラリと抜いて、号令をかけました。

「集れっ。」

小猿が、バラバラ、その辺から出て来て、草原一杯もちゃもちゃはせ廻り、間もなく四つの長い列をつくりました。大将についていた二疋も、その中にまじりました。大将はからだを曲げるくらい一生けん命に号令をかけました。

「気を付けっ」「右いおい。」「なおれっ。」「番号。」実にみんなうまくやります。

楢夫は愕いてそれを見ました。大将が楢夫の前に来て、まっすぐに立って申しました。

「演習をこれからやります。終りっ。」

楢夫はすっかり面白くなって、自分も立ちあがりましたが、どうも余りせいが高過ぎて、調子が変なので、又座って云いました。

「宜しい。演習はじめっ。」

小猿の大将がみんなへ云いました。

「これから演習をはじめる。今日は参観者もあるのだから、殊に注意しないといけない。左向けの時、右向けをした者、前へ進めを右足からはじめた者、かけ足の号令で腰に手をあげない者、みんな後で三つずつせ中をつねる。いいか。わかったか。八番。」

八番の小猿が云いました。

「判りました。」

「よろしい。」大将は云いながら三歩ばかり後ろに退いて、だしぬけに号令をかけました。

「突貫」

楢夫は愕いてしまいました。こんな乱暴な演習は、今まで見たこともありません。それ所ではなく、小猿がみんな歯をむいて楢夫に走って来て、みんな小さな綱を出して、すばやくきりきり身体中を縛ってしまいました。楢夫は余程撲ってやろうと思いましたが、あんまりみんな小さいので、じっと我慢をして居ました。

みんなは縛ってしまうと、互いに手をとりあって、きゃっきゃっ笑いました。

大将が、向こうで、腹をかかえて笑いながら、剣をかざして、

「胴上げい、用意っ。」といいました。

楢夫は、草の上に倒れながら、横目で見ていますと、小猿は向こうで、みんな六疋位ずつ、高い高い肩車をこしらえて、塔のようになり、それがあっちからもこっちからも集まって、とうとう小猿の林のようなものができてしまいました。

それが、ずんずん、楢夫に進んで来て、沢山の手を出し、楢夫を上に引っ張りあげました。

楢夫は呆れて、小猿の列の上で、大将を見ていました。

大将は、ますます得意になって、爪立てをして、力一杯延びあがりながら、号令をかけます。

「胴上げい、はじめっ。」

「よっしょい。よっしょい。よっしょい。」

もう、楢夫のからだは、林よりも高い位です。

「よっしょい。よっしょい。よっしょい。」

風が耳の処でひゅうと鳴り、下では小猿共が手をうようよしているのが実に小さく見えます。

「よっしょい。よっしょい。よっしょい。」

ずうっと向こうで、河がきらりと光りました。

「落とせっ。」「わあ。」と下で声がしますので見ると小猿共がもうちりぢりに四方に別れて林の

へりにならんで草原をかこみ、楢夫の地べたに落ちて来るのを見ようとしているのです。
楢夫はもう覚悟をきめて、向こうの川を、もう一ぺん見ました。その辺に楢夫の家があるのです。そして楢夫は、もう下に落ちかかりました。

　その時、下で、「危いっ。何をする」という大きな声がしました。見ると、茶色のばさばさの髪と巨きな赤い顔が、こっちを見あげて、手を延ばしているのです。

「ああ山男だ。助かった。」と楢夫は思いました。そして、楢夫は、忽ち山男の手で受け留められて、草原におろされました。その草原は楢夫のうちの前の草原でした。栗の木があって、たしかに三つの猿のこしかけがついていました。そして誰も居ません。もう夜です。

「楢夫。ごはんです。楢夫。」と、うちの中でお母さんが叫んでいます。

めくらぶどうと虹

めくらぶどうとにじ

城あとのおおばこの実は結び、赤つめ草の花は枯れて焦茶色になり、畑の粟は刈られました。

「刈られたぞ。」と云いながら一ぺん一寸顔を出した野鼠が又急いで穴へひっこみました。

崖やほりには、まばゆい銀のすすきの穂が、いちめん風に波立っています。

その城あとのまん中に、小さな四っ角山があって、上のやぶには、めくらぶどうの実が、虹のように熟れていました。

さて、かすかなかすかな日照り雨が降りましたので、草はきらきら光り、向こうの山は暗くなりました。

そのかすかなかすかな日照り雨が霽れましたので、草はきらきら光り、向こうの山は明るくなって、大へんまぶしそうに笑っています。

そっちの方から、もずが、まるで音譜をばらばらにしてふりまいたように飛んで来て、みんな一度に、銀のすすきの穂にとまりました。

めくらぶどうは感激して、すきとおった深い息をつき葉から雫をぽたぽたこぼしました。

東の灰色の山脈の上を、つめたい風がふっと通って、大きな虹が、明るい夢の橋のようにやさしく空にあらわれました。

そこでめくらぶどうの青じろい樹液は、はげしくはげしく波うちました。

そうです。今日こそ、ただの一言でも、虹とことばをかわしたい、丘の上の小さなめくらぶどうの木が、よるのそらに燃える青いほのおよりも、もっと強い、もっとかなしいおもいを、はるかの美しい虹に捧げると、ただこれだけを伝えたい、ああ、それからならば、それからならば、実や葉が風にちぎられて、あの明るいつめたいまっ白の冬の眠りにはいっても、あるいはそのまま枯れてしまってもいいのでした。

「虹さん。どうか、一寸こっちを見て下さい。」めくらぶどうは、ふだんの透きとおる声もどこかへ行って、しわがれた声を風に半分とられながら叫びました。

やさしい虹は、うっとり西の碧いそらをながめていた大きな碧い瞳を、めくらぶどうに向けました。

「何かご用でいらっしゃいますか。あなたはめくらぶどうさんでしょう。」

めくらぶどうは、まるでぶなの木の葉のようにプリプリふるえて、輝いて、いきがせわしくて思うように物が云えませんでした。

「どうか私のうやまいを受けとって下さい。」

虹は大きくといきをつきましたので、黄や菫は一つずつ声をあげるように輝きました。そして云いました。

「うやまいを受けることは、あなたもおなじです。なぜそんなに陰気な顔をなさるのですか。」

「私はもう死んでもいいのです。」

「どうしてそんなことを、仰っしゃるのです。あなたはまだお若いではありませんか。それに雪が降るまでには、まだ二ヶ月あるではありませんか。」

「いいえ。私の命なんか、なんでもないんです。あなたが、もし、もっと立派におなりになる為なら、私なんか、百ぺんでも死にます。」

「あら、あなたこそそんなにお立派ではありませんか。あなたは、たとえば、消えることのない虹です。変わらない私です。私などはそれはまことにたよりないのです。ほんの十分か十五分のいのちです。ただ三秒のときさえあります。ところがあなたにかがやく七色はいつまでも変わりません。」

「いいえ、変わります。変わります。私の実の光なんか、もうすぐ風に持って行かれます。雪にうずまって白くなってしまいます。枯れ草の中で腐ってしまいます。」

　虹は思わず微笑いました。

「ええ、そうです。本とうはどんなものでも変わらないものはないのです。ごらんなさい。向こうのそらはまっさおでしょう。まるでいい孔雀石のようです。けれども間もなくお日さまがあすこをお通りになって、山へお入りになりますと、あすこは月見草の花びらのようになります。それも間もなくしぼんで、やがてたそがれ前の銀色と、それから星をちりばめた夜とが来ます。

　その頃、私は、どこへ行き、どこに生まれているでしょう。又、この眼の前の、美しい丘や野原も、みな一秒ずつけずられたりくずれたりしています。けれども、もしも、まことのちからが、これらの中にあらわれるときは、すべてのおとろえるもの、しわむもの、さだめないもの、はかないもの、みなかぎりないいのちです。わたくしでさえ、ただ三秒ひらめくときも、半時空にかかるときもいつもおんなじよろこびです。」

「けれども、あなたは、高く光のそらにかかります。すべて草や花や鳥は、みなあなたをほめて歌います。」

「それはあなたも同じです。すべて私に来て、私をかがやかすものは、あなたをもきらめかします。私に与えられたすべてのほめことばは、そのままあなたに贈られます。ごらんなさい。まことの瞳でものを見る人は、人の王のさかえの極みをも、野の百合の一つにくらべようとはしませんでした。それは、人のさかえをば、人のたくらむように、しばらくまことのちから、かぎりないいのちからはなして見たのです。もしそのひかりの中でならば、人のおごりからあやしい雲と湧きのぼる、塵の中のただ一抹も、神の子のほめ給うた、聖なる百合に劣るものではありません。」

「私を教えて下さい。私を連れて行って下さい。私はどんなことでもいたします。」

「いいえ私はどこへも行きません。いつでもあなたのことを考えています。すべてまことのひかりのなかに、いっしょにすむ人は、いつでもいっしょに行くのです。いつまでもほろびるということはありません。けれども、あなたは、もう私を見ないでしょう。お日様があまり遠くなりました。もずが飛び立ちます。私はあなたにお別れしなければなりません。」

停車場の方で、鋭い笛がピーと鳴りました。

もずはみな、一ぺんに飛び立って、気違いになったばらばらの楽譜のように、やかましく鳴きながら、東の方へ飛んで行きました。

めくらぶどうは高く叫びました。

「虹さん。私をつれて行って下さい。どこへも行かないで下さい。」

虹はかすかにわらったようでしたが、もうよほどうすくなって、はっきりわかりませんでした。

そして、今はもう、すっかり消えました。

空は銀色の光を増し、あまり、もずがやかましいので、ひばりも仕方なく、その空へのぼって、少しばかり調子はずれの歌をうたいました。

気のいい火山弾

きのいいかざんだん

ある死火山のすそ野のかしわの木のかげに、「ベゴ」というあだ名の大きな黒い石が永いことじぃっと座っていました。

「ベゴ」と云う名は、その辺の草の中にあちこち散らばった、稜のあるあまり大きくない黒い石どもが、つけたのでした。ほかに、立派な、本とうの名前もあったのでしたが、「ベゴ」石もそれを知りませんでした。

ベゴ石は、稜がなくて、丁度卵の両はじを、少しひらたくのばしたような形でした。そして、ななめに二本の石の帯のようなものが、からだを巻いてありました。非常に、たちがよくて、一ぺんも怒ったことがないのでした。

それですから、深い霧がこめて、空も山も向こうの野原もなんにも見えず退くつな日は、稜のある石どもは、みんな、ベゴ石をからかって遊びました。

「ベゴさん。今日は。おなかの痛いのは、なおったかい。」

「ありがとう。僕は、おなかが痛くなかったよ。」とベゴ石は、霧の中でしずかに云いました。

「アァハハハハ。アァハハハハハ。」稜のある石は、みんな一度に笑いました。

「べゴさん。こんちは。ゆうべは、ふくろうがお前さんに、とうがらしを持って来てやったかい。」

「いいや。ふくろうは、昨夜、こっちへ来なかったようだよ。」

「アァハハハハ。アァハハハハ。」稜のある石は、もう大笑いです。

「べゴさん。今日は。昨日の夕方、霧の中で、野馬がお前さんに小便をかけたろう。気の毒だったね。」

「ありがとう。おかげで、そんな目には、あわなかったよ。」

「アァハハハハ。アァハハハハ。」みんな大笑いです。

「べゴさん。今日は。今度新らしい法律が出てね、まるいものや、まるいようなものは、みんな卵のように、パチンと割ってしまうそうだよ。お前さんも早く逃げたらどうだい。」

「ありがとう。僕は、まんまる大将のお日さんと一しょに、パチンと割られるよ。」

「アァハハハハ、アァハハハハハ。どうも馬鹿で手がつけられない。」

丁度その時、霧が晴れて、お日様の光がきん色に射し、青ぞらがいっぱいにあらわれましたので、稜のある石どもは、みんな雨のお酒のことや、雪の団子のことを考えはじめました。そこでべゴ石も、しずかに、まんまる大将の、お日さまと青ぞらとを見あげました。

その次の日、又、霧がかかりましたので、稜石どもは、又べゴ石をからかいはじめました。実は、ただからかったつもりだっただけです。

「べゴさん。おれたちは、みんな、稜がしっかりしているのに、お前さんばかり、なぜそんなにくるくるしてるだろうね。一緒に噴火のとき、落ちて来たのにね。」

「僕は、生れてまだまっかに燃えて空をのぼるとき、くるくるくるくる、からだがまわったからね。」

「ははあ、僕たちは、空へのぼるときも、のぼる位のぼって、一寸とまった時も、それから落ちて来るときも、いつも、じっとしていたのに、お前さんだけは、なぜそんなに、くるくるまわったろうね。」

その癖、こいつらは、噴火で砕けて、まっくろな煙と一緒に、空へのぼった時は、みんな気絶していたのです。

「さあ、僕は一向まわろうとも思わなかったが、ひとりでからだがまわって仕方なかったよ。」

「ははあ、何かこわいことがあると、ひとりでからだがふるえるからね。お前さんも、ことによったら、臆病のためかも知れないよ。」

「そうだ。臆病のためだったかも知れないね。じっさい、あの時の、音や光は大へんだったからね。」

「そうだろう。やっぱり、臆病のためだろう。ハッハハハッハ、ハハハハハ。」

稜のある石は、一しょに大声でわらいました。その時、霧がはれましたので、角のある石は、空を向いて、てんでに勝手なことを考えはじめました。

ベゴ石も、だまって、柏の葉のひらめきをながめました。

それから何べんも、雪がふったり、草が生えたりしました。かしわは、何べんも古い葉を落として、新らしい葉をつけました。

　ある日、かしわが云いました。

「ベゴさん。僕とあなたが、お隣りになってから、もうずいぶん久しいもんですね。」

「ええ。そうです。あなたは、ずいぶん大きくなりましたね。」

「いいえ。しかし僕なんか、前はまるで小さくて、あなたのことを、黒い途方もない山だと思っていたんです。」

「はあ、そうでしょうね。今はあなたは、もう僕の五倍もせいが高いでしょう。」

「そう云えばまあそうですね。」

　かしわは、すっかり、うぬぼれて、枝をピクピクさせました。

　はじめは仲間の石どもだけでしたがあんまりベゴ石が気がいいのでだんだんみんな馬鹿にし出しました。おみなえしが、斯う云いました。

「ベゴさん。僕は、とうとう、黄金のかんむりをかぶりましたよ。」

「おめでとう。おみなえしさん。」

「あなたは、いつ、かぶるのですか。」

「さあ、まあ私はかぶりませんね。」

「そうですか。お気の毒ですね。しかし。いや。はてな。あなたも、もうかんむりをかぶってるではありませんか。」

　おみなえしは、ベゴ石の上に、このごろ生えた小さな苔を見て、云いました。

ベゴ石は笑って、

「いやこれは苔ですよ。」

「そうですか。あんまり見ばえがしませんね。」

それから十日ばかりたちました。おみなえしはびっくりしたように叫びました。

「ベゴさん。とうとう、あなたも、かんむりをかぶりましたよ。つまり、あなたの上の苔がみな赤ずきんをかぶりました。おめでとう。」

ベゴ石は、にが笑いをしながら、なにげなく云いました。

「ありがとう。しかしその赤頭巾は、苔のかんむりでしょう。私のではありません。私の冠は、今に野原いちめん、銀色にやって来ます。」

このことばが、もうおみなえしのきもを、つぶしてしまいました。

「それは雪でしょう。大へんだ。大へんだ。」

ベゴ石も気がついて、おどろいておみなえしをなぐさめました。

「おみなえしさん。ごめんなさい。雪が来て、あなたはいやでしょうが、毎年のことで仕方もないのです。その代り、来年雪が消えたら、きっとすぐ又いらっしゃい。」

おみなえしは、もう、へんじをしませんでした。又その次の日のことでした。蚊が一疋くうんくうんとうなってやって来ました。

「どうも、この野原には、むだなものが沢山あっていかんな。たとえば、このベゴ石のようなものだ。ベゴ石のごときは、何のやくにもたたない。むぐらのようにつちをほって、空気をしんせんにするということもしない。草っぱのように露をきらめかして、われわれの目の病をなおすということもない。くううん。くううん。」と云いながら、又向こうへ飛んで行きました。
ベゴ石の上の苔は、前からいろいろ悪口を聞いていましたが、ことに、今の蚊の悪口を聞いて、いよいよベゴ石を、馬鹿にしはじめました。
そして、赤い小さな頭巾をかぶったまま、踊りはじめました。
「ベゴ黒助、ベゴ黒助、
黒助どんどん、
あめがふっても黒助、どんどん、
日が照っても、黒助どんどん。

ベゴ黒助、ベゴ黒助、
黒助どんどん、
千年たっても、黒助どんどん、
万年たっても、黒助どんどん。」
ベゴ石は笑いながら、
「うまいよ。なかなかうまいよ。しかしその歌は、僕はかまわないけれど、お前たちには、よくないことになるかも知れないよ。僕が一つ作ってやろう。これからは、そっちをおやり。ね、そら、

お空。お空。お空のちちは、
つめたい雨の　ザァザザザ、
かしわのしずくトンテントン、
まっしろきりのポッシャントン。
お空。お空。お空のひかり、
おてんとさまは、カンカンカン、
月のあかりは、ツンツンツン、
ほしのひかりの、ピッカリコ。」

「そんなものだめだ。面白くもなんともないや。」

「そうか。僕は、こんなこと、まずいからね。」

ベゴ石は、しずかに口をつぐみました。

そこで、野原中のものは、みんな口をそろえて、ベゴ石をあざけりました。

「なんだ。あんな、ちっぽけな赤頭巾に、ベゴ石め、へこまされてるんだ。もうおいらは、あいつとは絶交だ。みっともない。黒助め。黒助、どんどん。ベゴどんどん。」

その時、向こうから、眼がねをかけた、せいの高い立派な四人の人たちが、いろいろなピカピカする器械をもって、野原をよこぎって来ました。その中の一人が、ふとベゴ石を見て云いました。

「あ、あった、あった。すてきだ。実にいい標本だね。火山弾の典型だ。こんなととのったのは、はじめて見たぜ。あの帯の、きちんとしてることね。もうこれだけでも今度の旅行は沢山だよ。」

「うん。実によくととのってるね。こんな立派な火山弾は、大英博物館にだってないぜ。」

みんなは器械を草の上に置いて、ベゴ石をまわってさすったりなでたりしました。

「どこの標本でも、この帯の完全なのはないよ。どうだい。空でぐるぐるやった時の工合が、実によくわかるじゃないか。すてき、すてき。今日すぐ持って行こう。」

みんなは、又、向こうの方へ行きました。稜のある石は、だまってため息ばかりついています。

そして気のいい火山弾は、だまってわらって居りました。

ひるすぎ、野原の向こうから、又キラキラめがねや器械が光って、さっきの四人の学者と、村の人たちと、一台の荷馬車がやって参りました。

そして、柏の木の下にとまりました。

「さあ、大切な標本だから、こわさないようにして呉れ給え。よく包んで呉れ給え。苔なんかむしってしまおう。」

苔は、むしられて泣きました。火山弾はからだを、ていねいに、きれいな藁や、むしろに包まれながら、云いました。

「みなさん。ながながお世話でした。苔さん。さよなら。さっきの歌を、あとで一ぺんでも、うたって下さい。私の行くところは、ここのように明るい楽しいところではありません。けれども、私共は、みんな、自分でできることをしなければなりません。さよなら。みなさん。」

「東京帝国大学校地質学教室行、」と書いた大きな札がつけられました。

そして、みんなは、「よいしょ。よいしょ。」と云いながら包みを、荷馬車へのせました。

「さあ、よし、行こう。」

馬はプルルルと鼻を一つ鳴らして、青い青い向こうの野原の方へ、歩き出しました。

「ツェ」ねずみ

つぇねずみ

ある古い家の、まっくらな天井(てんじょう)うらに、「ツェ」という名まえのねずみがすんでいました。

ある日ツェねずみは、きょろきょろ四方を見まわしながら、床下街道(ゆかしたかいどう)を歩いていますと、向こうからいたちが、何かいいものを、沢山(たくさん)もって、風のように走って参りました。そして「ツェ」ねずみを見て、一寸(ちょっと)たちどまって、早口に云(い)いました。

「おい、ツェねずみ。お前んとこの戸棚(とだな)の穴から、金米糖(こんぺいとう)がばらばらこぼれているぜ。早く行ってひろいな。」

ツェねずみは、もうひげもぴくぴくするくらいよろこんで、いたちにはお礼も云わずに、一さんにそっちへ走って行きました。

ところが、戸棚の下まで来たとき、いきなり足がチクリとしました。そして、

「止(と)まれ。誰(たれ)かっ。」という小さな鋭(するど)い声がします。

ツェねずみはびっくりして、よく見ますと、それは蟻(あり)でした。蟻の兵隊は、もう金米糖のまわりに四重の非常線を張って、みんな黒いまさかりをふりかざしています。二三十疋(ぴき)は、金米糖を片っぱしから砕(くだ)いたり、とかしたりして、巣へはこぶ仕度(したく)です。「ツェ」ねずみはぶるぶるふる

えてしまいました。

「ここから内へはいってならん。早く帰れ。帰れ、帰れ。」蟻の特務曹長が、低い太い声で云いました。

鼠はくるっと一つまわって、一目散に天井裏へかけあがりました。そして巣の中へはいって、しばらくねころんでいましたが、どうも面白くなくて、面白くなくて、たまりません。蟻はまあ兵隊だし、強いから仕方もないが、あのおとなしいいたちめに教えられて、戸棚の下まで走って行って蟻の曹長にけんつくを食うとは何たるしゃくにさわることだとツェねずみは考えました。そこでねずみは巣から又ちょろちょろはい出して、木小屋の奥のいたちの家にやって参りました。いたちは、ちょうど、とうもろこしのつぶを、歯でこつこつ噛んで粉にしていましたが、ツェねずみを見て云いました。

「どうだ。金米糖がなかったかい。」

「いたちさん。ずいぶんお前もひどい人だね、私のような弱いものをだますなんて。」

「だましゃせん。たしかにあったのや。」

「あるにはあってももう蟻が来てましたよ。」

「蟻が。へい。そうかい。早いやつらだね。」

「みんな蟻がとってしまいましたよ。私のような弱いものをだますなんて、償うて下さい。償うて下さい。」

「それは仕方ない。お前の行きようが少し遅かったのや。」

「知らん知らん。私のような弱いものをだまして。償うて下さい、償うて下さい。」

「困ったやつだな。ひとの親切をさかさまにうらむとは。よしよし。そんならおれの金米糖をやろう。」

「まどうて下さい。まどうて下さい。」

「えい。それ。持って行け。てめいの持てるだけ持ってうせちまえ。てめいみたいな、ぐにゃぐにゃした、男らしくもねいやつは、つらも見たくねい。早く持てるだけ持って、どっかへうせろ。」いたちはプリプリして、金米糖を投げ出しました。ツェねずみはそれを持てるだけ沢山ひろって、おじぎをしました。いたちはいよいよ怒って叫びました。

「えい、早く行ってしまえ。てめいの取ったのこりなんかうじむしにでも呉れてやらあ。」

ツェねずみは、一目散にはしって、天井裏の巣へもどって、金米糖をコチコチたべました。

こんな工合ですから、ツェねずみは、だんだん嫌われて、たれもあまり相手にしなくなりました。そこでツェねずみは、仕方なしに、こんどは、はしらだの、こわれたちりとりだの、ばけつだの、ほうきだのと交際をはじめました。

中でもはしらとは、一番仲よくしていました。柱がある日、ツェねずみに云いました。

「ツェねずみさん。もうじき冬になるね。ぼくらは又乾いてミリミリ云わなくちゃならない。お前さんも今のうちに、いい夜具のしたくをして置いた方がいいだろう。幸い、ぼくのすぐ頭の上に、すずめが春持って来た鳥の毛やいろいろ暖かいものが沢山あるから、いまのうちに、すこしおろして運んで置いたらどうだい。僕の頭は、まあ少し寒くなるけれど、僕は僕で又工夫をするから。」

ツェねずみはもっともと思いましたので、早速、その日から運び方にかかりました。ところが、途中に急な坂が一つありましたので、鼠は三度目に、そこからストンところげ落ちました。

柱もびっくりして、

「鼠さん。けがはないかい。けがはないかい。」と一生けん命、からだを曲げながら云いました。

鼠はやっと起きあがって、それからかおをひどくしかめながら云いました。

「柱さん。お前もずいぶんひどい人だ。僕のような弱いものをこんな目にあわすなんて。」

柱はいかにも申し訳がないと思ったので、

「ねずみさん。すまなかった。ゆるして下さい。」と一生けん命わびました。

ツェねずみは図にのって、

「許して呉れもないじゃないか。お前さえあんなこしゃくな指図をしなければ、私はこんな痛い目にもあわなかったんだよ。償ってお呉れ。償ってお呉れ。さあ、償ってお呉れよ。」

「そんなことを云ったって困るじゃありませんか。許して下さいよ。」

「いいや。弱いものをいじめるのは私はきらいなんだから、まどってお呉れ。まどってお呉れ。さあまどっておくれ。」

柱は困ってしまって、おいおい泣きました。そこで鼠も、仕方なく、巣へかえりました。それからは、柱はもう恐がって、鼠に口を利きませんでした。

さて、そののちのことですが、ちりとりは、ある日、ツェねずみに半分になった最中を一つやりました。すると丁度その次の日、ツェねずみはおなかが痛くなりました。さあ、いつものとおりツェねずみは、まどってお呉れを百ばかりもちりとりに云いました。ちりとりももうあきれてねずみとの交際はやめました。

又、そののちのことですが、ある日、バケツは、ツェねずみに、洗濯曹達のかけらをすこしやって、

「これで毎朝お顔をお洗いなさい。」と云いましたら、鼠はよろこんで、次の日から、毎日、それで顔を洗っていましたが、そのうちに、ねずみのおひげが十本ばかり抜けました。さあツェねずみは、早速バケツへやって来てまどってお呉れまどってお呉れを、二百五十ばかり云いました。しかしあいにくバケツにはおひげもありませんでしたし、まどうというわけにも行かずすっかり参ってしまって、泣いてあやまりました。そして、もうそれからは、一寸も口を利きませんでした。

道具仲間は、みんな順ぐりに、こんなめにあって、こりてしまいましたので、ついには誰もみんなツェねずみの顔を見ると、いそいでわきの方を向いてしまうのでした。

ところがその道具仲間に、ただ一人だけ、まだツェねずみとつきあって見ないものがありました。

それは、針がねを編んでこさえた鼠捕りでした。

鼠捕りは、全体、人間の味方なはずですが、ちかごろは、どうも毎日の新聞にさえ、猫といっ

しょにお払い物という札をつけた絵にまでして、広告されるのですし、そうでなくても、元来、人間は、この針金の鼠とりを、一ぺんも優待したことはありませんでした。ええ、それはもうたしかにありませんとも。それに、さもさわるのさえきたないようにみんなから思われています。それですから、実は、鼠とりは、人間よりは、鼠の方に、よけい同情があるのです。けれども、大抵の鼠は、仲々こわがって、そばへやって参りません。鼠とりは、毎日、やさしい声で、

「ねずちゃん。おいで。今夜のごちそうはあじのおつむだよ。お前さんのたべる間、わたしはしっかり押さえておいてあげるから。ね、安心しておいで。入口をパタンとしめるようなそんなことをするもんかね。わたしも人間にはもうこりこりしてるんだから。おいでよ。そら。」

なんて鼠を呼びますが、鼠はみんな、

「へん、うまく云ってらあ。」とか「へい、へい。よくわかりましてございます。いずれ、おやじやせがれとも、相談の上で。」とか云ってそろそろ逃げて行ってしまいます。

そして、朝になると、顔のまっ赤な下男が来て見て、

「又はいらない。ねずみももう知ってるんだな。鼠の学校で教えるんだな。しかしまあもう一日だけかけて見よう。」と云いながら新らしい餌ととりかえるのでした。

今夜も、ねずみとりは、叫びました。

「おいでおいで。今夜のはやわらかな半ぺんだよ。えさだけあげるよ。大丈夫さ。早くおいで。」

ツェねずみが、丁度、通りかかりました。そして

「おや、鼠捕りさん、ほんとうにえさだけを下さるんですか。」と云いました。

「おや、お前は珍らしい鼠だね。そうだよ。餌だけあげるんだよ。そら、早くお食べ。」

ツェ鼠はプイッと中へはいって、むちゃむちゃむちゃっと半ぺんをたべて、又プイッと外へ出て云いました。

「おいしかったよ。ありがとう。」

「そうかい。よかったね。又あすの晩おいで。」

次の朝下男が来て見て怒って云いました。

「えい。餌だけとって行きやがった。ずるい鼠だな。しかしとにかく中へはいったというのは感心だ。そら、今日は鰯だぞ。」

そして鰯を半分つけて行きました。

ねずみとりは、鰯をひっかけて、折角ツェねずみの来るのを待っていました。

夜になって、ツェねずみは、すぐ出て来ました。そしていかにも恩に着せたように、

「今晩は、お約束通り来てあげましたよ。」と云いました。

鼠とりは少しむっとしましたが、無理にこらえて、

「さあ、たべなさい。」とだけ云いました。

ツェねずみはプイッと入って、ピチャピチャピチャッと喰べて、又プイッと出て来て、それから大風に云いました。

「じゃ、あした、また、来てたべてあげるからね。」

「ブウ。」と鼠とりは答えました。

次の朝、下男が来て見て、ますます怒って云いました。

「えい。ずるい鼠だ。しかし、毎晩、そんなにうまくえさだけ取られる筈がない。どうも、このねずみとりめは、ねずみからわいろを貰ったらしいぞ。」

「貰わん。貰わん。あんまり人を見そこなうな。」と鼠とりはどなりましたが、勿論、下男の耳には聞こえません。今日も腐った半ぺんをくっつけて行きました。

ねずみとりは、とんだ疑いを受けたので、一日ぷんぷん怒っていました。

夜になりました。ツェねずみが出て来て、さもさも大儀らしく、云いました。

「あああ、毎日ここまでやって来るのも、並大抵のこっちゃない。それにごちそうといったら、せいぜい魚の頭だ。いやになっちまう。しかしまあ、折角来たんだから仕方ない、食ってやるとしようか。ねずみとりさん。今晩は。」

ねずみとりははりがねをぷりぷりさせて怒っていましたので、ただ一こと、

「おたべ。」と云いました。ツェねずみはすぐプイッと飛びこみましたが、半ぺんのくさっているのを見て、怒って叫びました。

「ねずみとりさん。あんまりひどいや。この半ぺんはくさってます。僕のような弱いものをだますなんて、あんまりだ。まどって下さい。まどって下さい。」

ねずみとりは、思わず、はり金をリウリウと鳴らす位、怒ってしまいました。

そのリウリウが悪かったのです。

「ピシャッ。シインン。」餌についていた鍵がはずれて鼠とりの入口が閉じてしまいました。さ

あもう大へんです。

　ツェねずみはきちがいのようになって、

「ねずみとりさん。ひどいや。ひどいや。うう、くやしい。ねずみとりさん。あんまりだ。」と云いながら、はりがねをかじるやら、くるくるまわるやら、地だんだをふむやら、わめくやら、泣くやら、それはそれは大さわぎです。それでも償(まど)って下さい償って下さいは、もう云う力がありませんでした。ねずみとりの方も、痛いやら、しゃくにさわるやら、ガタガタ、ブルブル、リウリウとふるえました。一晩そうやってとうとう朝になりました。

　顔のまっかな下男が来て見て、こおどりして云いました。

「しめた。しめた。とうとうかかった。意地の悪そうなねずみだな。さあ、出て来い。小僧(こぞう)。」

鳥箱先生とフゥねずみ

とりばこせんせいとふうねずみ

あるうちに一つの鳥かごがありました。

鳥かごと云（い）うよりは、鳥箱という方が、よくわかるかもしれません。それは、天井（てんじょう）と、底と、三方の壁（かべ）とが、無暗（むやみ）に厚い板でできていて、正面丈（だ）けが、針がねの網（あみ）でこさえた戸になっていました。

そして小さなガラスの窓が横の方についていました。ある日一疋（ぴき）の子供のひよどりがその中に入れられました。ひよどりは、そんなせまい、くらいところへ入れられたので、いやがってバタバタバタバタしました。

鳥かごは、早速（さっそく）、

「バタバタ云（い）っちゃいかん。」と云いました。ひよどりは、それでも、まだ、バタバタしていましたが、つかれてうごけなくなると、こんどは、おっかさんの名を呼んで、泣きました。鳥かごは、早速、「泣いちゃいかん。」と云いました。この時、とりかごは、急に、ははあおれは先生なんだなと気がつきました。なるほど、そう気がついて見ると、小さなガラスの窓は、鳥かごの顔、正面の網戸が、立派なチョッキと云うわけでした。

いよいよそうきまって見ると、鳥かごは、もう、一分もじっとしていられませんでした。そこで

「おれは先生なんだぞ。鳥箱先生というんだぞ。お前を教育するんだぞ。」と云いました。ひよどりも仕方なく、それからは、鳥箱先生と呼んでいました。

けれども、ひよどりは、先生を大嫌いでした。毎日、じっと先生の腹の中に居るのでしたが、もう、それを見るのもいやでしたから、いつも目をつぶっていました。目をつぶっても、もしか、ひょっと、先生のことを考えたら、もうむねが悪くなるのでした。ところが、そのひよどりは、ある時、七日というもの、一つぶの粟も貰いませんでした。みんな忘れていたのです。そこで、もうひもじくって、ひもじくって、とうとう、くちばしをパクパクさせながら、死んでしまいました。鳥箱先生も

「ああ哀れなことだ」と云いました。その次に来たひよどりの子供も、丁度その通りでした。ただ、その死に方が、すこし変っていただけです。それは腐った水を貰った為に、赤痢になったのでした。

その次に来たひよどりの子供は、あんまり空や林が恋しくて、とうとう、胸がつまって死んでしまいました。

四番目のは、先生がある夏、一寸油断をして網のチョッキを大きく開けたまま、睡っているあいだに、乱暴な猫大将が来て、いきなりつかんで行ってしまったのです。鳥箱先生も目をさまして、

「あっ、いかん。生徒をかえしなさい。」と云いましたが、猫大将はニヤニヤ笑って、向こうへ走って行ってしまいました。鳥箱先生も
「ああ哀れなことだ。」と云いました。しかし鳥箱先生は、それからはすっかり信用をなくしました。そしていきなり物置の棚へ連れて来られました。

「ははあ、ここは、大へん、空気の流通が悪いな。」と鳥箱先生は云いながら、あたりを見まわしました。棚の上には、こわれかかった植木鉢や、古い朱塗りの手桶や、そんながらくたが一杯でした。そして鳥箱先生のすぐうしろに、まっくらな小さな穴がありました。

「はてな。あの穴は何だろう。獅子のほらあなかも知れない。少くとも竜のいわやだね。」と先生はひとりごとを言いました。

それから、夜になりました。鼠が、その穴から出て来て、先生を一寸かじりました。先生は大へんびっくりしましたが、無理に心をしずめてこう云いました。

「おいおい。みだりに他人をかじるべからずという、カマジン国の王様の格言を知らないか。」

鼠はびっくりして、三歩ばかりあとへさがって、ていねいにおじぎをしてから申しました。

「これは、まことにありがたいお教えでございます。実に私の肝臓までしみとおります。みだりに他人をかじるということは、ほんとうに悪いことでございます。私は、去年、みだりに金づちさまをかじりましたので、前歯を二本欠きました。又、今年の春は、みだりに人間の耳を噛じりましたので、あぶなく殺されようとしました。実にかたじけないおさとしでございます。ついては、私のせがれ、フウと申すものは、誠におろかものでございますが、どうか毎日、お教えを戴

くように願われませんでございましょうか。」

「うん。とにかく、その子をよこしてごらん。きっと、立派にしてあげるから。わしはね。今こそこんな処へ来ているが、前は、それはもう、硝子でこさえた立派な家の中に居たんだ。ひよどりを、四人も育てて教えてやったんだ。どれもみんな、はじめはバタバタ云って、手もつけられない子供らばかりだったがね、みんな、間もなく、わしの感化で、おとなしく立派になった。そして、それはそれは、安楽に一生を送ったのだ。栄耀栄華をきわめたもんだ。」

親ねずみは、あんまりうれしくて、声も出ませんでした。そして、ペコペコ頭をさげて、急いで自分の穴へもぐり込んで、子供のフゥねずみを連れ出して、鳥箱先生の処へやって参りました。

「この子供でございます。どうか、よろしくおねがい致します。どうかよろしくおねがい致します。」二人は頭をぺこぺこさげました。

すると、先生は、

「ははあ、仲々賢こそうなお子さんですな。頭のかたちが大へんよろしい。いかにも承知しました。きっと教えてあげますから。」

ある日、フゥねずみが先生のそばを急いで通って行こうとしますと、鳥箱先生があわてて呼びとめました。

「おい。フウ。ちょっと待ちなさい。なぜ、おまえは、そう、ちょろちょろ、つまだてしてあるくんだ。男というものは、もっとゆっくり、もっと大股にあるくものだ。」

「だって先生。僕の友だちは、誰だってちょろちょろ歩かない者はありません。僕はその中で、一番威張って歩いているんです。」

「お前の友だちというのは、どんな人だ。」

「しらみに、くもに、だにです。」

「そんなものと、お前はつきあっているのか。なぜもう少し、りっぱなものとつきあわん。なぜもっと立派なものとくらべないか。」

「だって、僕は、猫や、犬や、獅子や、虎は、大嫌いなんです。」

「そうか。それなら仕方ない。が、もう少しりっぱにやって貰いたい。」

「もうわかりました。先生。」フゥねずみは一目散に逃げて行ってしまいました。

　それから又五六日たって、フゥねずみが、いそいで鳥箱先生のそばをかけ抜けようとしますと、先生が叫びました。

「おい。フウ。一寸待ちなさい。なぜお前は、そんなにきょろきょろあたりを見てあるくのです。男はまっすぐに行く方を向いて歩くもんだ。それに決して、よこめなんかはつかうものではない。」

「だって先生。私の友達はみんなもっときょろきょろしています。」

「お前の友だちというのは誰だ。」

「たとえばくもや、しらみや、むかでなどです。」

「お前は、また、そんなつまらないものと自分をくらべているが、それはよろしくない。お前はりっぱな鼠になる人なんだからそんな考えはよさなければいけない。」

「だって私の友達は、みんなそうです。私はその中では一番ちゃんとしているんです。」

そしてフゥねずみは一目散に逃げて穴の中へはいってしまいました。

それから又五六日たって、フゥねずみが、いつものとおり、大いそぎで鳥箱先生のそばを通りすぎようとしますと、先生が網のチョッキをがたっとさせながら、呼びとめました。

「おい。フウ、ちょっと待ちなさい。おまえはいつでもわしが何か云おうとすると、早く逃げてしまおうとするが、今日は、まあ、すこしおちついて、ここへすわりなさい。お前はなぜそんなにいつでも首をちぢめて、せなかを円くするのです。」

「だって、先生。私の友達は、みんな、もっとせなかを円くして、もっと首をちぢめていますよ。」

「お前の友達といっても、むかでなどはせなかをすっくりとのばしてあるいているではないか。」

「いいえ。むかではそうですけれども、ほかの友だちはそうではありません。」

「ほかの友だちというのは、どんな人だ。」

「けしつぶや、ひえつぶや、おおばこの実などです。」

「なぜいつでも、そんなつまらないものとだけ、くらべるのだ。ええ。おい。」

フゥねずみは面倒臭くなったので一目散に穴の中へ逃げ込みました。

鳥箱先生も、今度という今度は、すっかり怒ってしまって、ガタガタガタガタふるえて叫びました。

「フウの母親、こら、フウの母親。出て来い。おまえのむすこは、もうどうしても退校だ。引き渡すから早速出て来い。」

フウのおっかさんねずみは、ブルブルふるえているフゥねずみのえり首をつかんで、鳥箱先生の前に連れて来ました。

鳥箱先生は怒って、ほてって、チョッキをばたばたさせながら云いました。

「おれは四人もひよどりを教育したが、今日までこんなひどいぶじょくを受けたことはない。実にこの生徒はだめなやつだ。」

その時、まるで、嵐のように黄色なものが出て来て、フウをつかんで地べたへたたきつけ、ひげをヒクヒク動かしました。それは猫大将でした。

猫大将は、

「ハッハッハ、先生もだめだし、生徒も悪い。先生はいつでも、もっともらしいうそばかり云っている。生徒は志がどうもけしつぶより小さい。これではもうとても国家の前途が思いやられる」と云いました。

クンねずみ

くんねずみ

クンねずみのうちは見はらしのいいところにありました。

すぐ前に下水川があって、春はすもものの花びらをうかべ、冬はときどきはみかんの皮を流しました。

下水川の向こうには、通りの野原がはるかにひろがっていて、つちけむりの霞がたなびいたり、黄いろな霧がかかったり、その又向こうには、酒屋の土蔵がそら高くそびえて居りました。

その立派な、クンねずみのおうちへ、ある日、友達の夕ねずみがやって来ました。

全体ねずみにはいろいろくしゃくしゃな名前があるのですからいちいちそれをおぼえたらとてももう大へんです。一生ねずみの名前だけのことで頭が一杯になってしまいますからみなさんはどうかクンという名前のほかはどんなのが出て来てもおぼえないで下さい。

さて夕ねずみはクンねずみに云いました。

「今日は、クンねずみさん。いいお天気ですね。」

「いいお天気です。何かいいものを見附けましたか。」

「いいえ。どうも不景気ですね。どうでしょう。これからの景気は。」

「そうですね。しかしだんだんよくなるのじゃないでしょうか。オウベイのキンユウはしだいにヒッパクをテイしなそう……。」

「エヘン、エヘン。」いきなりクンねずみが大きなせきばらいをしましたので、夕ねずみはびっくりして飛びあがりました。クンねずみは横を向いたまま、ひげを一つぴんとひねって、それから口の中で、

「へい、それから。」と云いました。

夕ねずみはやっと安心して又お膝に手を置いてすわりました。

クンねずみもやっとまっすぐを向いて云いました。

「先ころの地震にはおどろきましたね。」

「全くです。」

「あんな大きいのは私もはじめてですよ。」

「ええ、ジョウカドウでしたね。シンゲンは何でもトウケイ四十二度二分ナンイ」

「エヘンエヘン」

クンねずみは又どなりました。

夕ねずみは又全く面くらいましたがさっきほどではありませんでした。クンねずみはやっと気を直して云いました。

「天気もよくなりましたね。あなたは何かうまい仕掛けをして置きましたか。」

「いいえ、なんにもして置きません。しかし、今度天気が永くつづいたら、私は少し畑の方へ出て見ようと思うんです。」

「畑には何かいいことがありますか。」

「秋ですからとにかく何かこぼれているだろうと思います。天気さえよければいいのですがね。」

「どうでしょう。天気はいいでしょうか。」

「そうですね。新聞に出ていましたが、オキナワレットウにハッセイしたテイキアツは次第にホクホクセイのほうへシンコウ……。」

「エヘン、エヘン。」クンねずみは又いやなせきばらいをやりましたので、タねずみはこんどというこんどはすっかりびっくりして半分立ちあがって、ぶるぶるふるえて眼をパチパチさせて、黙りこんでしまいました。

　クンねずみは横の方を向いて、おひげをひっぱりながら、横目でタねずみの顔を見ていましたがずうっとしばらくたってから、あらんかぎり声をひくくして、

「へい。そして。」と云いました。ところがタねずみは、もうすっかりこわくなって物が云えませんでしたから、にわかに一つていねいなおじぎをしました。そしてまるで細いかすれた声で、

「さよなら。」と云ってクンねずみのおうちを出て行きました。

　クンねずみは、そこで、あおむけにねころんで、「ねずみ競争新聞」を手にとってひろげながら、

「ヘッ。タなどはなってないんだ。」とひとりごとを云いました。

さて、「ねずみ競争新聞」というのは実にいい新聞です。これを読むと、ねずみ仲間の競争のことは何でもわかるのでした。ぺねずみが、沢山とうもろこしのつぶをぬすみためて、大砂糖持ちのパねずみと意地ばりの競争をしていることでも、ハ鼠ヒ鼠フ鼠の三疋のむすめねずみが学問の競争をやって、比例の問題まで来たとき、とうとう三疋共頭がペチンと裂けたことでも何でもすっかり出ているのでした。さあ、さあ、みなさん。失敬ですが、クンねずみの、今日の新聞を読むのを、お聴きなさい。

「ええと、カマジン国の飛行機、プハラを襲うと。なるほどえらいね。これは大へんだ。まあしかし、ここまでは来ないから大丈夫だ。ええと、ツェねずみの行衛不明。ツェねずみというのはあの意地わるだな。こいつはおもしろい。

天井うら街一番地、ツェ氏は昨夜行衛不明となりたり。本社のいちはやく探知するところによればツェ氏は数日前よりはりがねせい、ねずみとり氏と交際を結び居りしが一昨夜に至りて両氏の間に多少感情の衝突ありたるものの如し。台所街四番地ネ氏の談によれば昨夜もツェ氏は　はりがねせい、ねずみとり氏を訪問したるが如しと。尚床下通二十九番地ポ氏は、昨夜深更より今朝にかけて、ツェ氏並にはりがねせい、ねずみとり氏の、烈しき争論、時に格闘の声を聞きたりと。以上を綜合するに、本事件には、はりがねせい、ねずみとり氏、最も深き関係を有するが如し。本社は更に深く事件の真相を探知の上、大いにはりがねせい、ねずみとり氏に筆誅を加えんと欲す、と。はは あ、ふん、これはもう疑いもない。ツェのやつめ、ねずみとりに喰われたんだ。おもしろい。そのつぎはと。何だ、ええと、新任鼠会議員テ氏。エヘン。エヘン。エン。エッヘン。ヴェイ、ヴェイ、何だ。畜生。テなどが鼠会議員だなんて。えい、面白くない。おれでもすればいいんだ。えい。面白くない、散歩に出よう。」

　そこでクンねずみは散歩に出ました。そしてプンプン怒りながら、天井うら街の方へ行く途中で、二疋のむかでが親孝行の蜘蛛のはなしをしているのを聞きました。

「ほんとうにね。そうはできないもんだよ。」

「ええ、ええ、全くですよ。それにあの子は、自分もどこかからだが悪いんですよ。それだのにね。朝は二時ころから起きて薬を飲ませたりおかゆをたいてやったり、夜だって寝るのはいつも晩いでしょう。大抵三時ころでしょう。ほんとうにからだがやすまるってないんでしょう。感心ですねい。」

「ほんとうにあんな心掛けのいい子は今頃あり……。」

「エヘン、エヘン。」と、いきなりクンねずみはどなって、おひげを横の方へひっぱりました。むかではびっくりして、はなしもなにもそこそこに別れて逃げて行ってしまいました。クンねずみはそれからだんだん天井うら街の方へのぼって行きました。天井うら街のガランとした広い通りでは鼠会議員のテねずみがもう一ぴきの鼠とはなしていました。クンねずみはこわれたちり取りのかげで立ちぎきをして居りました。

　テねずみが、

「それで、その、わたしの考えではね、どうしても、これは、その、共同一致、団結、和睦の、セイシンで、やらんと、いかんね。」と云いました。

クンねずみは

「エヘン、エヘン。」と聞こえないようにせきばらいをしました。相手のねずみは、「へい。」と云って考えているようすです。

テねずみははなしをつづけました。

「もしそうでないとすると、つまりその、世界のシンポハッタツカイリョウがそのつまりテイタイするね。」

「エン、エン、エイ、エイ。」クンねずみは又ひくくせきばらいをしました。相手のねずみは「へい。」と云って考えています。

「そこで、その、世界文明のシンポハッタツカイリョウカイゼンがテイタイすると、政治は勿論ケイザイ、ノウギョウ、コウギョウ、キョウイク、ビジュツそれからチョウコク、カイガ、それからブンガク、シバイ、ええとエンゲキ、ゲイジュツ、ゴラク、そのほかタイイクなどが、ハッハッハ、大へんそのどうもわるくなるね。」テねずみはむつかしい言をあまり沢山云ったのでもう愉快でたまらないようでした。クンねずみはそれが又無暗にしゃくにさわって「エン、エン」と聞こえないようにそしてできるだけ高くせきばらいをやってにぎりこぶしをかためました。相手のねずみはやはり「へい。」と云って居ります。テねずみは又はじめました。

「そこでそのケイザイやゴラクが悪くなるというと、不平を生じてブンレツを起すというケッカにホウチャクするね。そうなるのは実にそのわれわれのシンガイで、フホンイであるから、やはりその、ものごとは共同一致団結和睦のセイシンでやらんといかんね。」

クンねずみはあんまりテねずみのことばが立派で、議論がうまく出来ているのがしゃくにさわって、とうとうあらんかぎり、

「エヘン、エヘン。」とやってしまいました。するとテねずみはぶるるっとふるえて、目を閉じて、小さく小さくちぢまりましたが、だんだんそろりそろりと延びて、そおっと目をあいて、それから大声で叫びました。

「こいつはブンレツだぞ。ブンレツ者だ。しばれ、しばれ。」と叫びました。すると相手のねずみはまるでつぶてのようにクンねずみに飛びかかって鼠のとり縄を出してクルクルしばってしまいました。

　クンねずみはくやしくてくやしくてなみだが出ましたがどうしてもかないそうがありませんでしたからしばらくじっとして居りました。するとテねずみは紙切れを出してするするするっと何か書いて捕り手のねずみに渡しました。

　捕り手のねずみは、しばられてごろごろころがっているクンねずみの前に来て、すてきに厳かな声でそれを読みはじめました。

「クンねずみはブンレツ者によりて、みんなの前にて暗殺すべし。」

　クンねずみは声をあげてチュウチュウなきました。

「さあ、ブンレツ者。あるけ、早く。」と捕りてのねずみは云いました。さあ、そこでクンねずみはすっかり恐れ入ってしおしおと立ちあがりました。あっちからもこっちからもねずみがみんな集って来て、

「どうもいい気味だね、いつでもエヘンエヘンと云ってばかり居たやつなんだ。」

「やっぱり分裂していたんだ。」

「あいつが死んだらほんとうにせいせいするだろうね。」というような声ばかりです。

捕り手のねずみは、いよいよ白いたすきをかけて、暗殺のしたくをはじめました。

その時みんなのうしろの方で、フウフウというひどい音がきこえ、二つの眼玉が火のように光って来ました。それは例の猫大将でした。

「ワーッ。」とねずみはみんなちりぢり四方に逃げました。

「逃がさんぞ。コラッ。」と猫大将はその一疋を追いかけましたがもうせまいすきまへずうっと深くもぐり込んでしまったのでいくら猫大将が手をのばしてもとどきませんでした。

猫大将は「チェッ」と舌打ちをして戻って来ましたが、クンねずみのただ一疋しばられて残っているのを見て、びっくりして云いました。

「貴様は何というものだ。」

クンねずみはもう落ち着いて答えました。

「クンと申します。」

「フ、フ、そうか。なぜこんなにしているんだ。」

「暗殺される為です。」

「フ、フ、フ。そうか。それはかあいそうだ。よしよし、おれが引き受けてやろう。おれのうちへ来い。丁度おれの家では、子供が四人できて、それに家庭教師がなくて困っている所なんだ。

来い。」

　猫大将はのそのそ歩き出しました。

　クンねずみはこわごわあとについて行きました。猫のおうちはどうもそれは立派なもんでした。紫色の竹で編んであって中は藁や布きれでホクホクしていました。おまけにちゃあんとご飯を入れる道具さえあったのです。

　そしてその中に、猫大将の子供が四人、やっと目をあいて、にゃあにゃあと鳴いて居りました。猫大将は子供らを一つずつ嘗めてやってから云いました。

「お前たちはもう学問をしないといけない。ここへ先生をたのんで来たからな。よく習うんだよ。決して先生を喰べてしまったりしてはいかんぞ。」子供らはよろこんでニヤニヤ笑って口々に、

「お父さん、ありがとう。きっと習うよ。先生を喰べてしまったりしないよ。」と云いました。

　クンねずみはどうも思わず脚がブルブルしました。猫大将が云いました。

「教えてやって呉れ。主に算術をな。」

「へい。しょう、しょう、承知いたしました。」とクンねずみが答えました。猫大将は機嫌よくニャーと鳴いてするりと向こうへ行ってしまいました。

　子供らが叫びました。

「先生、早く算術を教えて下さい。先生。早く。」

　クンねずみはさあ、これはいよいよ教えないといかんと思いましたので、口早に云いました。

「一に一をたすと二です。」

「わかってるよ。」子供らが云いました。

「一から一を引くとなんにも無くなります。」

「わかったよ。」子供らが叫びました。

「一に一をかけると一です。」

「わかりました。」と猫の子供らが悧口そうに眼をパチパチさせて云いました。

「一を一で割ると一です。」

「先生、わかりました。」と猫の子供らがよろこんで叫びました。

「一に二をたすと三です。」

「わかりました。先生。」

「一から二は引かれません。」

「わかりました。先生。」

「一に二をかけると二です。」

「わかりました。先生。」

「一を二でわると半かけです。」

「わかりました。先生。」

　ところがクンねずみはあんまり猫の子供らがかしこいのですっかりしゃくにさわりました。そうでしょう。クンねずみは一番はじめの一に一をたして二をおぼえるのに半年かかったのです。

　そこで思わず、「エヘン。エヘン。エイ。エイ。」とやりました。すると猫の子供らは、しばら

くびっくりしたように、顔を見合わせていましたが、やがてみんな一度に立ちあがって、

「何だい。ねずめ。人をそねみやがったな。」と云いながらクンねずみの足を一ぴきが一つずつかじりました。

クンねずみは非常にあわてててばたばたして、急いで「エヘン、エヘン、エイ、エイ。」とやりましたがもういけませんでした。

クンねずみはだんだん四方の足から食われて行ってとうとうおしまいに四ひきの子猫はクンねずみのおへその所で頭をこつんとぶっつけました。

そこへ猫大将が帰って来て、

「何か習ったか。」とききました。

「鼠(ねずみ)をとることです。」と四ひきが一緒(いっしょ)に答えました。

十力の金剛石

じゅうりきのこんごうせき

むかし、ある霧のふかい朝でした。

王子はみんながちょっと居なくなったひまに、玻璃で畳んだ自分のお室から、ひょいっと芝生へ飛び下りました。

そして蜂雀のついた青い大きな帽子を急いでかぶって、どんどん向こうへかけ出しました。

「王子さま。王子さま。どちらに居らっしゃいますか。はて、王子さま。」

と年よりのけらいが、室の中であっちを向いたりこっちを向いたりして叫んでいるようすでした。

王子は霧の中で、はあはあ笑って立ちどまり、一寸そっちを向きましたが、又すぐ向き直って音をたてないように剣のさやをにぎりながら、どんどんどん大臣の家の方へかけました。

芝生の草はみな朝の霧をいっぱいに吸って、青く、つめたく見えました。

大臣の家のくるみの木が、霧の中から不意に黒く大きくあらわれました。

その木の下で、一人の子供の影が、霧の向こうのお日様をじっとながめて立っていました。

王子は声をかけました。

「おおい。お早う。遊びに来たよ。」

その小さな影はびっくりしたように動いて、王子の方へ走って来ました。それは王子と同じ年の大臣の子でした。

大臣の子はよろこんで顔をまっかにして、

「王子さま、お早うございます。」と申しました。王子は口早にききました。

「お前さっきからここに居たのかい。何してたの。」

大臣の子が答えました。

「お日さまを見て居りました。お日さまは霧がかからないと、まぶしくて見られません。」

「うん。お日様は霧がかかると、銀の鏡のようだね。」

「はい、又、大きな蛋白石の盤のようでございます。」

「うん。そうだね。僕はあんな大きな蛋白石があるよ。けれどもあんなに光りはしないよ。僕はこんど、もっといいのをさがしに行くんだ。お前も一緒に行かないか。」

大臣の子はすこしもじもじしました。

王子は又すぐ大臣の子にたずねました。

「ね、おい。僕のもってるルビーの壺やなんかより、もっといい宝石は、どっちへ行ったらあるだろうね。」

大臣の子が申しました。

「虹の脚もとにルビーの絵の具皿があるそうです。」

王子が口早に云いました。

「おい、取りに行こうか。行こう。」

「今すぐでございますか。」

「うん。しかし、ルビーよりは金剛石の方がいいよ。僕黄色な金剛石のいいのを持ってるよ。そして今度はもっといいのを取って来るんだよ。ね、金剛石はどこにあるだろうね。」

大臣の子が首をまげて少し考えてから申しました。

「金剛石は山の頂上にあるでしょう。」

王子はうなずきました。

「うん。そうだろうね。さがしに行こうか。ね。行こうか。」

「王さまに申し上げなくてもようございますか。」と大臣の子が目をパチパチさせて心配そうに申しました。

その時うしろの霧の中から
「王子さま、王子さま、どこに居らっしゃいますか。王子さま。」

と、年老ったけらいの声が聞こえて参りました。

王子は大臣の子の手をぐいぐいひっぱりながら、小声で急いで云いました。

「さ、行こう。さ、おいで、早く。追いつかれるから。」

大臣の子は決心したように剣をつるした帯革を堅くしめ直しながらうなずきました。

そして二人は霧の中を風よりも早く森の方へ走って行きました。

※

二人はどんどん野原の霧の中を走って行きました。ずうっとうしろの方で、けらいたちの声が又かすかに聞こえました。

王子ははあはあ笑いながら、

「さあ、も少し走ってこう。もう誰も追い付きやしないよ。」

大臣の子は小さな樺の木の下を通るときその大きな青い帽子を落としました。そして、あわててひろって又一生けん命に走りました。

みんなの声ももう聞こえませんでした。そして野原はだんだんのぼりになって来ました。二人はやっと馳けるのをやめて、いきをせかせかしながら、草をばたりばたりと踏んで行きました。

いつか霧がすうっとうすくなって、お日さまの光が黄金色に透って来ました。やがて風が霧をふっと払いましたので、露はきらきら光り、きつねのしっぽのような茶色の草穂は一面波を立てました。

ふと気が付きますと遠くの白樺の木のこちらから、目もさめるような虹が空高く光ってたっていました。白樺のみきは燃えるばかりにまっかです。

「そら虹だ。早く行ってルビーの皿を取ろう。早くお出でよ。」

二人は又走り出しました。けれどもその樺の木に近づけば近づくほど美しい虹はだんだん向こうへ逃げるのでした。そして二人が白樺の木の前まで来たときは、虹はもうどこへ行ったか見えませんでした。

「ここから虹は立ったんだね。ルビーのお皿が落ちてないか知らん。」

二人は足でけむりのような茶色の草穂をかきわけて見ましたが、ルビーの絵の具皿はそこに落ちていませんでした。

「ね、虹は向こうへ逃げるときルビーの皿もひきずって行ったんだね。」

「そうだろうと思います。」

「虹は一体どこへ行ったろうね。」

「さあ。」

「あ、あすこに居る。あすこに居る。あんな遠くに居るんだよ。」

大臣の子はそっちを見ました。まっ黒な森の向こう側から、虹は空高く大きく夢の橋をかけているのでした。

「森の向こうなんだね。行って見よう。」

「又逃げるでしょう。」

「行って見ようよ。ね。行こう。」

二人は又歩き出しました。そしてもう柏の森まで来ました。

森の中はまっくらで気味が悪いようでした。それでも王子は、ずんずんはいって行きました。小藪のそばを通るとき、さるとりいばらが緑色の沢山のかぎを出して、王子の着物をつかんで引き留めようとしました。はなそうとしても仲々はなれませんでした。

王子は面倒臭くなったので剣をぬいていきなり小藪をばらんと切ってしまいました。そして二人はどこまでもどこまでも、むくむくの苔やひかげのかつらをふんで森の奥の方へはいって行きました。

森の木は重なり合ってうす暗いのでしたが、そのほかにどうも空まで暗くなるらしいのでした。それは、森の中に青くさし込んでいた一本の日光の棒が、ふっと消えてそこらがぼんやりかすんで来たのでもわかりました。

また霧が出たのです。林の中は間もなくぼんやり白くなってしまいました。もう来た方がどっちかもわからなくなってしまったのです。

王子はためいきをつきました。

大臣の子もしきりにあたりを見ましたが、霧がそこら一杯に流れ、すぐ眼の前の木だけがぼんやりかすんで見えるだけです。二人は困ってしまって腕を組んで立ちました。

すると小さなきれいな声で、誰か歌い出したものがあります。

「ポッシャリ、ポッシャリ、ツイツイ、トン。

　はやしのなかにふる霧は、

　蟻のお手玉、三角帽子の、一寸法師の

　　　　　ちいさなけまり。」

霧がトントンはね踊りました。

「ポッシャリポッシャリ、ツイツイトン。

はやしのなかにふる霧は、
くぬぎのくろい実、柏の、かたい実の
　　　　つめたいおちち。」
霧がポシャポシャ降って来ました。そしてしばらくしんとしました。
「誰だろう。ね。誰だろう。あんなことうたってるのは。二三人のようだよ。」
二人はまわりをきょろきょろ見ましたが、どこにも誰も居ませんでした。
声はだんだん高くなりました。それは上手な芝笛のように聞こえるのでした。
「ポッシャリ、ポッシャリ、ツイツイツイ。
はやしのなかにふるきりの、
つぶはだんだん大きくなり、
いまはしずくがポタリ。」
霧がツイツイツイツイ降って来て、あちこちの木からポタリッポタリッと雫の音がきこえて来ました。
「ポッシャン、ポッシャン、ツイ、ツイ、ツイ。
はやしのなかにふるきりは、
いまはこあめにかぁわるぞ、
木はぁみんな　青外套。
ポッシャン、ポッシャン、ポッシャン、シャン。」

きりはこあめにかわり、ポッシャンポッシャン降って来ました。大臣の子は途方に暮れたように目をまん円にしていました。

「誰だろう。今のは。雨を降らせたんだね。」

大臣の子はぼんやり答えました。

「ええ、王子さま。あなたのきものは草の実で一杯ですよ。」そして王子の黒いびろうどの上着から、緑色のぬすびとはぎの実を一ひらずつとりました。

王子がにわかに叫びました。

「誰だ、今歌ったものは、ここへ出ろ。」

するとおどろいたことは、王子たちの青い大きな帽子に飾ってあった二羽の青びかりの蜂雀が、ブルルルブルルッと飛んで、二人の前に降りました。そして声をそろえて云いました。

「はい。何かご用でございますか。」

「今の歌はお前たちか。なぜこんなに雨をふらせたのだ。」

蜂雀は上手な芝笛のように叫びました。

「それは王子さま。私共の大事のご主人さま。私どもは空をながめて歌っただけでございます。そらをながめて居りますと、きりがあめにかわるかどうかよくわかったのでございます。」

「そしてお前らはどうして歌ったり飛んだりしだしたのだ。」

「はい。ここからは私共の歌ったり飛んだりできる所になっているのでございます。ご案内致しましょう。」

雨はポッシャンポッシャン降っています。蜂雀はそう云いながら、向こうの方へ飛び出しました。せなかや胸に鋼鉄のはり金がはいっているせいか飛びようがなんだか少し変でした。

王子たちはそのあとをついて行きました。

※

にわかにあたりがあかるくなりました。

今までポシャポシャやっていた雨が急に大粒になってざあざあと降って来たのです。

はちすずめが水の中の青い魚のように、なめらかにぬれて光りながら、二人の頭の上をせわしく飛びめぐって、

ザッ、ザ、ザ、ザザァザ、ザザァザ、ザザァ、

ふらばふれふれ、ひでりあめ、

トパァス、サファイア、ダイアモンド。

と歌いました。するとあたりの調子が何だか急に変な工合になりました。雨があられに変わってパラパラパラパラやって来たのです。

そして二人はまわりを森にかこまれたきれいな草の丘の頂上に立っていました。

ところが二人は全くおどろいてしまいました。あられと思ったのはみんなダイアモンドやトパァスやサファイヤだったのです。おお、その雨がどんなにきらびやかなまぶしいものだったでしょう。

雨の向こうにはお日さまが、うすい緑色のくまを取って、まっ白に光っていましたが、そのこちらで宝石の雨はあらゆる小さな虹をあげました。金剛石がはげしくぶっつかり合っては青い燐

光(こう)を起こしました。

その宝石の雨は、草に落ちてカチンカチンと鳴りました。それは鳴る筈(はず)だったのです。りんどうの花は刻まれた天河石(アマゾンストン)と、打ち劈(さ)かれた天河石で組み上がり、その葉はなめらかな硅孔雀石(クリソコラ)で出来ていました。黄色な草穂(くさぼ)はかがやく猫睛石(キャッツアイ)、いちめんのうめばちそうの花びらはかすかな虹(にじ)を含む乳色の蛋白石(たんぱくせき)、とうやくの葉は碧玉(へきぎょく)、そのつぼみは紫水晶(アメシスト)の美しいさきを持っていました。そしてそれらの中で一番立派なのは小さな野ばらの木でした。野ばらの枝は茶色の琥珀(こはく)や紫(むらさき)がかった霰石(アラゴナイト)でみがきあげられ、その実はまっかなルビーでした。

もしその丘をつくる黒土をたずねるならば、それは緑青(ろくしょう)か瑠璃(るり)であったにちがいありません。

二人はあきれてぼんやりと光の雨に打たれて立ちました。

はちすずめが度々(たびたび)宝石に打たれて落ちそうになりながら、やはりせわしくせわしく飛びめぐって、

　ザッザザ、ザザァザ、ザザアザザザア、
　降らばふれふれひでりあめ
　ひかりの雲のたえぬまま。

と歌いましたので雨の音は一(ひと)しお高くなりそこらは又(また)一しきりかがやきわたりました。

それから、はちすずめは、だんだんゆるやかに飛んで、

　ザッザザ、ザザァザ、ザザアザザザア、
　やまばやめやめ、ひでりあめ、

そらは　みがいた　土耳古玉(トルコ)　と歌いますと　雨がぴたりとやみました。おしまいの二つぶばかりのダイアモンドがそのみがかれた土耳古玉のそらからきらきらっと光って落ちました。

「ね、このりんどうの花はお父さんの所の一等のコップよりも美しいんだね。トパアスが一ぱいに盛(も)ってあるよ。」

「ええ立派です。」

「うん。僕(ぼく)、このトパアスをはんけちへ一ぱい持ってこうか。けれど、トパアスよりはダイアモンドの方がいいかなあ。」

　王子ははんけちを出してひろげましたが、あまりいちめんきらきらしているので、もう何だか拾(ひろ)うのがばかげているような気がしました。

　その時、風が来て、りんどうの花はツァリンとからだを曲げて、その天河石(アマゾンストン)の花の盃(さかずき)を下の方に向けましたので、トパアスはツァラツァランとこぼれて下のすずらんの葉に落ちそれからきらきらころがって草の底の方へもぐって行きました。

　りんどうの花はそれからギギンと鳴って起きあがり、ほっとため息をして歌いました。

　トッパァスのつゆはツァランツァリルリン、
　こぼれてきらめく　サング、サンガリン、
　ひかりの丘(おか)に　すみながら
　なぁにがこんなにかなしかろ。

まっ碧(さお)な空でははちすずめがツァリル、ツァリル、ツァリルリン、ツァリル、ツァリル、ツァリルリンと鳴いて二人とりんどうの花との上をとびめぐって居りました。

「ほんとうにりんどうの花は何がかなしいんだろうね。」王子はトッパァスを包もうとして一ぺんひろげたはんけちで顔の汗を拭きながら云いました。

「さあ私にはわかりません。」

「わからないねい。こんなにきれいなんだもの。ね、ごらん、こっちのうめばちそうなどはまるで虹のようだよ。むくむく虹が湧いてるようだよ。ああそうだ、ダイアモンドの露が一つぶはいってるんだ。」

ほんとうにそのうめばちそうは、ぷりりぷりりふるえていましたので、その花の中の一つぶのダイアモンドは、まるで叫び出す位に橙や緑や美しくかがやき、うめばちそうの花びらにチカチカ映って云いようもなく立派でした。

その時丁度風が来ましたのでうめばちそうはからだを少し曲げてパラリとダイアモンドの露をこぼしました。露はちくちくっとおしまいの青光をあげ碧玉の葉の底に沈んで行きました。

うめばちそうはブリリンと起きあがってもう一ぺんサッサッと光りました。金剛石の強い光の粉がまだはなびらに残ってでも居たのでしょうか。そして空のはちすずめのめぐりも叫びもにわかにはげしくはげしくなりました。うめばちそうはまるで花びらも蕚もはねとばすばかり高く鋭く叫びました。

「きらめきのゆきき
　ひかりのめぐり

にじはゆらぎ
陽（ひ）は織れど
かなし。

青ぞらはふるい
ひかりはくだけ
風のきしり
陽は織れど
かなし。」

野ばらの木が赤い実から水晶（すいしょう）の雫（しずく）をポトポトこぼしながらしずかに歌いました。

「にじはなみだち
きらめきは織る
ひかりのおかの
このさびしさ。

こおりのそこの
めくらのさかな
ひかりのおかの

このさびしさ。

たそがれぐもの
さすらいの鳥
ひかりのおかの
このさびしさ。」

この時光の丘はサラサラサラッと一めんけはいがして草も花もみんなからだをゆすったりかがめたりきらきら宝石の露をはらいギギンザン、リン、ギギンと起きあがりました。そして声をそろえて空高く叫びました。

十力の金剛石はきょうも来ず
めぐみの宝石はきょうも降らず、
十力の宝石の落ちざれば、
光の丘も　まっくろのよる。

二人は腕を組んで棒のように立っていましたが王子はやっと気がついたように少しからだを屈めて

「ね、お前たちは何がそんなにかなしいの。」と野ばらの木にたずねました。

野ばらは赤い光の点々を王子の顔に反射させながら

「今云った通りです。十力の金剛石がまだ来ないのです。」

王子は向こうの鈴蘭の根もとからチクチク射して来る黄金色の光をまぶしそうに手でさえぎりながら

「十力の金剛石ってどんなものだ。」とたずねました。

野ばらがよろこんでからだをゆすりました。

「十力の金剛石はただの金剛石のようにチカチカうるさく光りはしません。」

碧玉のすずらんが、百の月が集った晩のように光りながら向こうから云いました。

「十力の金剛石はきらめくときもあります。かすかににごることもあります。ほのかにうすびかりする日もあります。ある時は洞穴のようにまっくらです。」

ひかりしずかな天河石のりんどうも、もうとても踊り出さずに居られないというようにサァン、ツァン、サァン、ツァン、からだをうごかして調子をとりながら云いました。

「その十力の金剛石は春の風よりやわらかくある時は円くある時は卵がたです。霧より小さなつぶにもなればそらとつちとをうずめもします。」

まひるの笑いの虹をあげてうめばちそうが云いました。

「それはたちまち百千のつぶにもわかれ、また集って一つにもなります。」

はちすずめのめぐりはあまり速くてただルルルルルと鳴るぼんやりした青い光の輪にしか見えませんでした。

野ばらがあまり気が立ち過ぎてカチカチしながら叫びました。

「十力の大宝珠はある時黒い厩肥のしめりの中に埋もれます。それから木や草のからだの中で月光いろにふるい、青白いかすかな脈をうちます。それから人の子供の苹果(りんご)の頬(ほお)をかがやかします。」

そしてみんなが一緒(いっしょ)に叫(さけ)びました。

「十力の金剛石は今日も来ない。

その十力の金剛石はまだ降らない。

おお、あめつちを充(み)てる十力のめぐみ

われらに下れ。」

にわかにはちすずめがキイーンとせなかの鋼鉄の骨も弾(はじ)けたかと思うばかりするどいさけびをあげました。びっくりしてそちらを見ますと空が生き返ったように新らしくかがやき、はちすずめはまっすぐに二人の帽子(ぼうし)に下りて来ました。はちすずめのあとを追って二つぶの宝石がスッと光って二人の青い帽子に下(お)ちそれから花の間に落ちました。

「来た来た。ああ、とうとう来た。十力の金剛石がとうとう下った。」と花はまるでとびたつばかりかがやいて叫びました。

木も草も花も青ぞらも一度に高く歌いました。

「ほろびのほのお湧(わ)きいでて

つちとひとを　つつめども

こはやすらけきくににして

ひかりのひとらみちみてり

ひかりにみてるあめつちは

……………………。」

急に声がどこか別の世界に行ったらしく聞こえなくなってしまいました。そしていつか十力の金剛石は丘いっぱいに下って居りました。そのすべての花も葉も茎も今はみなめざめるばかり立派に変わっていました。青いそらからかすかなかすかな楽のひびき、光の波、かんばしく清いかおり、すきとおった風のほめことば丘いちめんにふりそそぎました。

なぜならすずらんの葉は今はほんとうの柔かなうすびかりする緑色の草だったのです。

うめばちそうはすなおなほんとうのはなびらをもっていたのです。そして十力の金剛石は野ばらの赤い実の中のいみじい細胞の一つ一つにみちわたりました。

その十力の金剛石こそは露でした。

ああ、そしてそして十力の金剛石は露ばかりではありませんでした。碧いそら、かがやく太陽、丘をかけて行く風、花のそのかんばしいはなびらやしべ、草のしなやかなからだ、すべてこれをのせになう丘や野原、王子たちのびろうどの上着や涙にかがやく瞳、すべてすべて十力の金剛石でした。あの十力の大宝珠でした。あの十力の尊い舎利でした。あの十力とは誰でしょうか。私はやっとその名を聞いただけです。二人もまたその名をやっと聞いただけでした。けれどもこの蒼鷹のように若い二人がつつましく草の上にひざまずき指を膝に組んでいたことはなぜでしょうか。

さてこの光の底のしずかな林の向こうから二人をたずねるけらいたちの声が聞こえて参りまし

た。

「王子様王子様。こちらにおいでてございますか。こちらにおいでてございますか。王子様。」

二人は立ちあがりました。

「おおい。ここだよ。」と王子は叫(さけ)ぼうとしましたがその声はかすれていました。二人はかがやく黒い瞳を蒼ぞらから林の方に向けしずかに丘を下って行きました。

林の中からけらいたちが出て来てよろこんで笑ってこっちへ走って参りました。

王子も叫んで走ろうとしましたが一本のさるとりいばらがにわかにすこしの青い鉤(かぎ)を出して王子の足に引っかけました。王子はかがんでしずかにそれをはずしました。

若い木霊

わかいこだま

〔冒頭原稿数枚なし〕

「ふん。こいつらがざわざわざわざわ云っていたのは、ほんの昨日のようだったがなあ。大抵雪に潰されてしまったんだな。」

木霊は、明るい枯草の丘の間を歩いて行きました。

丘の窪みや皺に、一きれ二きれの消え残りの雪が、まっしろにかがやいて居ります。

木霊はそらを見ました。そのすきとおるまっさおの空で、かすかにかすかにふるえているものがありました。

「ふん。日の光がぷるぷるやってやがる。いや、日の光だけでもないぞ。風だ。いや、風だけでもないな。何かこう小さなすきとおる蜂のようなやつかな。ひばりの声のようなもんかな。いや、そうでもないぞ。おかしいな、おれの胸までどきどき云いやがる。ふん。」

若い木霊はずんずん草をわたって行きました。

丘のかげに六本の柏の木が立っていました。風が来ましたのでその去年の枯れ葉はザラザラ鳴りました。

若い木霊はそっちへ行って高く叫びました。

「おおい。まだねてるのかい。もう春だぞ、出て来いよ。おい。ねぼうだなあ、おおい。」

風がやみましたので柏の木はすっかり静まってカサッとも云いませんでした。若い木霊はその幹に一本ずつすきとおる大きな耳をつけて木の中の音を聞きましたがどの樹もしんとして居りました。そこで
「えいねぼう。おれが来たしるしだけつけて置こう。」と云いながら柏の木の下の枯れた草穂をつかんで四つだけ結び合いました。

そして又ふらふらと歩き出しました。丘はだんだん下って行って小さな窪地になりました。そこはまっ黒な土があたたかにしめり、湯気はふくふく春のよろこびを吐いていました。

一疋の蟇がそこをのそのそ這って居りました。若い木霊はギクッとして立ち止まりました。

それは早くもその蟇の語を聞いたからです。

「鴇の火だ。鴇の火だ。もう空だって碧くはないんだ。

桃色のペラペラの寒天でできているんだ。いい天気だ。

ぽかぽかするなあ。」

若い木霊の胸はどきどきして息はその底で火でも燃えているように熱くはあはあするのでした。

木霊はそっと窪地をはなれました。次の丘には栗の木があちこちかがやくやどり木のまりをつけて立っていました。

そのまりはとんぼのはねのような小さな黄色の葉から出来ていました。その葉はみんな遠くの

青いそらに飛んで行きたそうでした。

　若い木霊はそっちに寄って叫びました。

「おいおい、栗の木、まだ睡ってるのか。もう春だぞ。おい、起きないか。」

　栗の木は黙ってつめたく立っていました。若い木霊はその幹にすきとおる大きな耳をあててみましたが中はしんと何の音も聞こえませんでした。

　若い木霊はそこで一寸意地悪く笑って青ぞらの下の栗の木の梢を仰いで黄金色のやどり木に云いました。

「おい。この栗の木は貴様らのおかげでもう死んでしまったようだよ。」

　やどり木はきれいにかがやいて笑って云いました。

「そんなこと云っておどそうたって駄目ですよ。睡ってるんですよ。僕下りて行ってあなたと一緒に歩きましょうか。」

「ふん。お前のような小さなやつがおれについて歩けると思うのかい。ふん。さよならっ。」

　やどり木は黄金色のべそをかいて青いそらをまぶしそうに見ながら
「さよなら。」と答えました。

　若い木霊は思わず「アハアハハハ」とわらいました。その声はあおぞらの滑らかな石までひびいて行きましたが又それが波になって戻って来たとき木霊はドキッとしていきなり堅く胸を押さえました。

　そしてふらふら次の窪地にやって参りました。

その窪地はふくふくした苔に覆われ、所々やさしいかたくりの花が咲いていました。若い木だまにはそのうすむらさきの立派な花はふらふらうすぐろくひらめくだけではっきり見えませんでした。却ってそのつやつやした緑色の葉の上に次々せわしくあらわれて又消えて行く紫色のあやしい文字を読みました。

「はるだ、はるだ、はるの日がきた、」字は一つずつ生きて息をついて、消えてはあらわれ、あらわれては又消えました。

「そらでも、つちでも、くさのうえでもいちめんいちめん、ももいろの火がもえている。」

若い木霊ははげしく鳴る胸を弾けさせまいと堅く堅く押さえながら急いで又歩き出しました。

右の方の象の頭のかたちをした灌木の丘からだらだら下りになった低いところを一寸越しますと、又窪地がありました。

木霊はまっすぐに降りて行きました。太陽は今越えて来た丘のきらきらの枯草の向こうにかかりそのなめなひかりを受けて早くも一本の桜草が咲いていました。若い木霊はからだをかがめてよく見ました。まことにそれは蛙のことばの鴇の火のようにひかってゆらいで見えたからです。桜草はその靭やかな緑色の軸をしずかにゆすりながらひとの聞いているのも知らないで斯うひとりごとを云っていました。

「お日さんは丘の髪毛の向こうの方へ沈んで行ってまたのぼる。

そして沈んでまたのぼる。空はもうすっかり鴇の火になった。

さあ、鴇の火になってしまった。」

若い木霊は胸がまるで裂けるばかりに高く鳴り出しましたのでびっくりして誰かに聞かれまいかとあたりを見まわしました。その息は鍛冶場のふいごのよう、そしてあんまり熱くて吐いても吐いても吐き切れないのでした。

その時向こうの丘の上を一疋のとりがお日さまの光をさえぎって飛んで行きました。そして一寸からだをひるがえしましたのではねうらが桃色にひらめいて或いはほんとうの火がそこに燃えているのかと思われました。若い木霊の胸は酒精で一ぱいのようになりました。そして高く叫びました。

「お前は鴇という鳥かい。」

鳥は

「そうさ、おれは鴇だよ。」といいながら丘の向こうへかくれて見えなくなりました。若い木霊はまっしぐらに丘をかけのぼって鳥のあとを追いました。丘の頂上に立って見るとお日さまは山にはいるまでまだ間がありました。鳥は丘のはざまの蘆の中に落ちて行きました。若い木霊は風よりも速く丘をかけおりて蘆むらのまわりをぐるぐるまわって叫びました。

「おおい。鴇。お前、鴇の火というものを持ってるかい。持ってるなら少しおらに分けて呉れないか。」

「ああ、やろう。しかし今、ここには持っていないよ。ついてお出で。」

鳥は蘆の中から飛び出して南の方へ飛んで行きました。若い木霊はそれを追いました。あちこち桜草の花がちらばっていました。そして鳥は向こうの碧いそらをめがけてまるで矢のように飛びそれから急に石ころのように落ちました。そこには桜草がいちめん咲いてその中から桃色のかげろうのような火がゆらゆらゆらゆら燃えてのぼって居りました。そのほのおはすきとおってあかるくほんとうに呑みたいくらいでした。

若い木霊はしばらくそのまわりをぐるぐる走っていましたがとうとう

「ホウ、行くぞ。」と叫んでそのほのおの中に飛び込みました。

そして思わず眼をこすりました。そこは全くさっき蟇がつぶやいたような景色でした。ペラペラの桃色の寒天で空が張られまっ青な柔らかな草がいちめんでその処々にあやしい赤や白のぶちぶちの大きな花が咲いていました。その向こうは暗い木立で怒鳴りや叫びががやがや聞こえて参ります。その黒い木をこの若い木霊は見たことも聞いたこともありませんでした。木霊はどきどきする胸を押さえてそこらを見まわしましたが鳥はもうどこへ行ったか見えませんでした。

「鴇、鴇、どこに居るんだい。火を少しお呉れ。」

「すきな位持っておいで。」と向こうの暗い木立の怒鳴りの中から鴇の声がしました。

「だってどこに火があるんだよ。」木霊はあたりを見まわしながら叫びました。

「そこらにあるじゃないか。持っといで。」鴇が又答えました。

木霊はまた桃色のそらや草の上を見ましたがなんにも火などは見えませんでした。

「鴇、鴇、おらもう帰るよ。」

「そうかい。さよなら。えい畜生。スペイドの十を見損っちゃった。」と鴇が黒い森のさまざまのどなりの中から云いました。

若い木霊は帰ろうとしました。その時森の中からまっ青な顔の大きな木霊が赤い瑪瑙のような眼玉をきょろきょろさせてだんだんこっちへやって参りました。若い木魂は逃げて逃げて逃げました。

風のように光のように逃げました。そして丁度前の栗の木の下に来ました。お日さまはまだまだ明るくかれ草は光りました。

栗の木の梢からやどり木が鋭く笑って叫びました。

「ウワーイ。鴇にだまされた。ウワーイ。鴇にだまされた。」

「何云ってるんだい。小っこ。ふん。おい、栗の木。起きろい。もう春だぞ。」

若い木霊は顔のほてるのをごまかして栗の木の幹にそのすきとおる大きな耳をあてました。

栗の木の幹はしいんとして何の音もありません。

「ふん、まだ、少し早いんだ。やっぱり草が青くならないとな。おい。小っこ、さよなら。」若い木霊は大分西に行った太陽にひらりと一ぺんひらめいてそれからまっすぐに自分の木の方にかけ戻りました。

「さよなら。」とずうっとうしろで黄金色のやどり木のまりが云っていました。

カイロ団長

かいろだんちょう

あるとき、三十疋のあまがえるが、一緒に面白く仕事をやって居りました。

これは主に虫仲間からたのまれて、紫蘇の実やけしの実をひろって来て花ばたけをこしらえたり、かたちのいい石や苔を集めて来て立派なお庭をつくったりする職業でした。

こんなようにして出来たきれいなお庭を、私どもはたびたび、あちこちで見ます。それは畑の豆の木の下や、林の楢の木の根もとや、又雨垂れの石のかげなどに、それはそれは上手に可愛らしくつくってあるのです。

さて三十疋は、毎日大へん面白くやっていました。朝は、黄金色のお日さまの光が、とうもろこしの影法師を二千六百寸も遠くへ投げ出すころからさっぱりした空気をすぱすぱ吸って働き出し、夕方は、お日さまの光が木や草の緑を飴色にうきうきさせるまで歌ったり笑ったり叫んだりして仕事をしました。殊にあらしの次の日などは、あっちからもこっちからもどうか早く来てお庭をかくしてしまった板を起こして下さいとか、うちのすぎごけの木が倒れましたから大いそぎで五六人来てみて下さいとか、それはそれはいそがしいのでした。いそがしければいそがしいほど、みんなは自分たちが立派な人になったような気がして、もう大よろこびでした。さあ、それ、しっかりひっぱれ、いいか、よいとこしょ、おい、ブチュコ、縄がたるむよ、いいとも、そらひっぱれ、おい、おい、ビキコ、そこをはなせ、縄を結んで呉れ、よういやさ、そらもう一いき、よおいやしゃ、なんてまあこんな工合です。

ところがある日三十疋のあまがえるが、蟻の公園地をすっかり仕上げて、みんなよろこんで一まず本部へ引きあげる途中で、一本の桃の木の下を通りますと、そこへ新らしい店が一軒出ていました。そして看板がかかって、

「舶来ウェスキイ　一杯、二厘半。」と書いてありました。

あまがえるは珍らしいものですから、ぞろぞろ店の中へはいって行きました。すると店にはうすぐろいとのさまがえるが、のっそりとすわって退くつそうにひとりでべろべろ舌を出して遊んでいましたが、みんなの来たのを見て途方もないいい声で云いました。

「へい、いらっしゃい。みなさん。一寸おやすみなさい。」

「なんですか。舶来のウェクーというものがあるそうですね。どんなもんですか。ためしに一杯吞ませて下さいませんか。」

「へい、舶来のウェスキイですか。一杯二厘半ですよ。ようござんすか。」

「ええ、よござんす。」

とのさまがえるは粟つぶをくり抜いたコップにその強いお酒を汲んで出しました。

「ウーイ。これはどうもひどいもんだ。腹がやけるようだ。ウーイ。おい、みんな、これはきたいなもんだよ。咽喉へはいると急に熱くなるんだ。ああ、いい気分だ。もう一杯下さいません

か。」

「はいはい。こちらが一ぺんすんでからさしあげます。」

「こっちへも早く下さい。」

「はいはい。お声の順にさしあげます。さあ、これはあなた。」

「いやありがとう、ウーイ。ウフッ、ウウ、どうもうまいもんだ。」

「こっちへも早く下さい。」

「はい、これはあなたです。」

「ウウイ。」

「おいもう一杯お呉れ。」

「こっちへ早くよ。」

「もう一杯早く。」

「へい、へい。どうぞお急きにならないで下さい。折角、はかったのがこぼれますから。へいと、これはあなた。」

「いや、ありがとう、ウーイ、ケホン、ケホン、ウーイうまいね。どうも。」

さてこんな工合で、あまがえるはお代りお代りで、沢山お酒を呑みましたが、呑めば呑むほどもっと呑みたくなります。

もっとも、とのさまがえるのウィスキーは、石油缶に一ぱいありましたから、粟つぶをくりぬいたコップで一万べんはかっても、一分もへりはしませんでした。

「おいもう一杯おくれ。」

「も一杯お呉れったらよう。早くよう。」

「さあ、早くお呉れよう。」

「へいへい。あなたさまはもう三百二杯目でございますがよろしゅうございますか。」

「いいよう。お呉れったらお呉れよう。」

「へいへい。よければさし上げます。さあ、」

「ウーイ、うまい。」

「おい、早くこっちへもお呉れ。」


そのうちにあまがえるは、だんだん酔がまわって来て、あっちでもこっちでも、キーイキーイといびきをかいて寝てしまいました。

とのさまがえるはそこでにやりと笑って、いそいですっかり店をしめて、お酒の石油缶にはきちんと蓋をしてしまいました。それから戸棚からくさりかたびらを出して、頭から顔から足のさきまでちゃんと着込んでしまいました。

それからテーブルと椅子をもって来て、きちんとすわり込みました。あまがえるはみんな、キーイキーイといびきをかいています。とのさまがえるはそこで小さなこしかけを一つ持って来て、自分の椅子の向こう側に置きました。

それから棚から鉄の棒をおろして来て椅子へどっかり座って一ばんはじのあまがえるの緑色のあたまをこつんとたたきました。

「おい。起きな。勘定を払うんだよ。さあ。」

「キーイ、キーイ、クヮア、あ、痛い、誰だい。ひとの頭を撲るやつは。」

「勘定を払いな。」

「あっ、そうそう。勘定はいくらになっていますか。」

「お前のは三百四十二杯で、八十五銭五厘だ。どうだ。払えるか。」

あまがえるは財布を出して見ましたが、三銭二厘しかありません。

「何だい。おまえは三銭二厘しかないのか。呆れたやつだ。さあどうするんだ。警察へ届けるよ。」

「許して下さい。許して下さい。」

「いいや、いかん。さあ払え。」

「ないんですよ。許して下さい。そのかわりあなたのけらいになりますから。」

「そうか。よかろう。それじゃお前はおれのけらいだぞ。」

「へい。仕方ありません。」

「よし、この中にはいれ。」

とのさまがえるは次の室の戸を開いてその閉口したあまがえるを押し込んで、戸をぴたんとしめました。そしてにやりと笑って、又どっしりと椅子へ座りました。それから例の鉄の棒を持ち直して、二番目のあま蛙の緑青いろの頭をこつんとたたいて云いました。

「おいおい。起きるんだよ。勘定だ勘定だ。」

「キーイ、キーイ、クワァ、ううい。もう一杯お呉れ。」

「何をねぼけてんだよ。起きるんだよ。目をさますんだよ。勘定だよ。」

「ううい、あああっ。ううい。何だい。なぜひとの頭をたたくんだい。」

「いつまでねぼけてんだよ。勘定を払え。勘定を。」

「あっ、そうそう。そうでしたね。いくらになりますか。」

「お前のは六百杯で、一円五十銭だよ。どうだい、それ位あるかい。」

あまがえるはすきとおる位青くなって、財布をひっくりかえして見ましたが、たった一銭二厘しかありませんでした。

「ある位みんな出しますからどうかこれだけに負けて下さい。」

「うん、一円二十銭もあるかい。おや、これはたった一銭二厘じゃないか。あんまり人をばかにするんじゃないぞ。勘定の百分の一に負けろとはよくも云えたもんだ。外国のことばで云えば、一パーセントに負けて呉れと云うんだろう。人を馬鹿にするなよ。さあ払え。早く払え。」

「だって無いんだもの。」

「なきゃおれのけらいになれ。」

「仕方ない。そいじゃそうして下さい。」

「さあ、こっちへ来い。」とのさまがえるはあまがえるを又次の室に追い込みました。それから又どっかりと椅子へかけようとしましたが何か考えついたらしく、いきなりキーキーいびきをかいているあまがえるの方へ進んで行って、かたっぱしからみんなの財布を引っぱり出して中を改めました。どの財布もみんな三銭より下でした。ただ一つ、いかにも大きくふくれたのがありましたが、開いて見ると、お金が一つぶも入っていないで、椿の葉が小さく折って入れてあるだけでした。とのさまがえるは、よろこんで、にこにこにこにこ笑って、棒を取り直し、片っぱしからあまがえるの緑色の頭をポンポンポンポンポンたたきつけました。さあ、大へん、みんな、

「あ痛っ、あ痛っ。誰だい。」なんて云いながら目をさまして、しばらくきょろきょろきょろきょろしていましたが、いよいよそれが酒屋のおやじのとのさまがえるの仕業だとわかると、もうみな一ぺんに、

「何だい。おやじ。よくもひとをなぐったな。」と云いながら、四方八方から、飛びかかりましたが、何分とのさまがえるは三十がえる力あるのですし、くさりかたびらは着ていますし、それにあまがえるはみんな舶来ウェスキーでひょろひょろしてますから、片っぱしからストンストンと投げつけられました。おしまいにはとのさまがえるは、十一疋のあまがえるを、もじゃもじゃ堅めて、ぺちゃんと投げつけました。あまがえるはすっかり恐れ入って、ふるえて、すきとおる位青くなって、その辺に平伏いたしました。そこでとのさまがえるがおごそかに云いました。

「お前たちはわしの酒を呑んだ。どの勘定も八十銭より下のはない。ところがお前らは五銭より多く持っているやつは一人もない。どうじゃ。誰かあるか。無かろう。うん。」

　あまがえるは一同ふうふうと息をついて顔を見合わせるばかりです。とのさまがえるは得意になって又はじめました。

「どうじゃ。無かろう。あるか。無かろう。そこでお前たちの仲間は、前に二人お金を払うかわ

りに、おれのけらいになるという約束をしたがお前たちはどうじゃ。」この時です、みなさんもご存じの通り向こうの室の中の二疋が戸のすきまから目だけ出してキーと低く鳴いたのは。

みんなは顔を見合わせました。

「どうも仕方ない。そうしようか。」

「そうお願いしよう。」

「どうかそうお願いいたします。」

どうです。あまがえるなんというものは人のいいものですからすぐとのさまがえるのけらいになりました。そこでとのさまがえるは、うしろの戸をあけて、前の二人を引っぱり出しました。そして一同へおごそかに云いました。

「いいか。この団体はカイロ団ということにしよう。わしはカイロ団長じゃ。あしたからはみんな、おれの命令にしたがうんだぞ。いいか。」

「仕方ありません。」とみんなは答えました。するとのさまがえるは立ちあがって、家をぐるっと一まわしまわしました。すると酒屋はたちまちカイロ団長の本宅にかわりました。つまり前には四角だったのが今度は六角形の家になったのですな。

さて、その日は暮れて、次の日になりました。お日さまの黄金色の光は、うしろの桃の木の影法師を三千寸も遠くまで投げ出し、空はまっ青にひかりましたが、誰もカイロ団に仕事を頼みに来ませんでした。そこでとのさまがえるはみんなを集めて云いました。

「さっぱり誰も仕事を頼みに来んな。どうもこう仕事がなくちゃ、お前たちを養っておいても仕方ない。俺もとうとう飛んだことになったよ。それにつけても仕事のない時に、いそがしい時の仕度をして置くことが、最も必要だ。つまりその仕事の材料を、こんな時に集めて置かないといかんな。ついてはまず第一が木だがな。今日はみんな出て行って立派な木を十本だけ、十本じゃすくない、ええと、百本、百本でもすくないな、千本だけ集めて来い。もし千本集まらなかったらすぐ警察へ訴えるぞ。貴様らはみんな死刑になるぞ。その太い首をスポンと切られるぞ。首が太いからスポンとはいかない、シュッポォンと切られるぞ。」

あまがえるどもは緑色の手足をぶるぶるぶるっとけいれんさせました。そしてこそこそこそ、逃げるようにおもてに出てひとりが三十三本三分三厘強ずつという見当で、一生けん命いい木をさがしましたが、大体もう前々からさがす位さがしてしまっていたのですから、いくらそこらをみんながひょいひょいかけまわっても、夕方までにたった九本しか見つかりませんでした。さあ、あまがえるはみんな泣き顔になって、うろうろうろうろやりましたがますますどうもいけません。そこへ丁度一ぴきの蟻が通りかかりました。そしてみんなが飴色の夕日にまっ青にすきとおって泣いているのを見て驚いてたずねました。

「あまがえるさん。昨日はどうもありがとう。一体どうしたのですか。」

「今日は木を千本、とのさまがえるに持っていかないといけないのです。まだ九本しか見つかりません。」

蟻はこれを聞いて「ケッケケッケッケ」と大笑いに笑いはじめました。それから申しました。

「千本持って来いというのなら、千本持って行ったらいいじゃありませんか。そら、そこにあるそのけむりのようなかびの木などは、一つかみ五百本にもなるじゃありませんか。」

なるほどとみんなはよろこんでそのけむりのようなかびの木を一人が三十三本三分三厘ずつ取って、蟻にお礼を云って、カイロ団長のところへ帰って来ました。すると団長は大機嫌です。

「ふんふん。よし、よし。さあ、みんな舶来ウィスキーを一杯ずつ飲んでやすむんだよ。」

そこでみんなは粟つぶのコップで舶来ウィスキーを一杯ずつ呑んで、くらくら、キーイキーイと、ねむってしまいました。

次の朝またお日さまがおのぼりになりますと、とのさまがえるは云いました。

「おい、みんな。集まれ。今日もどこからも仕事をたのみに来ない。いいか、今日はな、あちこち花畑へ出て行って花の種をひろって来るんだ。一人が百つぶずつ、いや百つぶではすくない。千つぶずつ、いや、千つぶもこんな日の長い時にあんまり少い。万粒ずつがいいかな。万粒ずつひろって来い。いいか、もし、来なかったらすぐお前らを巡査に渡すぞ。巡査は首をシュッポンと切るぞ。」

あまがえるどもはみんな、お日さまにまっさおにすきとおりながら、花畑の方へ参りました。ところが丁度幸いに花のたねは雨のようにこぼれていましたし蜂もぶんぶん鳴いていましたのであまがえるはみんなしゃがんで一生けん命ひろいました。ひろいながらこんなことを云っていました。

「おい、ビチュコ。一万つぶひろえそうかい。」

「いそがないとだめそうだよ、まだ三百つぶにしかならないんだもの。」

「さっき団長が百粒ってはじめに云ったねい。百つぶならよかったねい。」

「うん。その次に千つぶって云ったねい。千つぶでもよかったねい。」

「ほんとうにねい。おいら、お酒をなぜあんなにのんだろうなあ。」

「おいらもそいつを考えているんだよ。どうも一ぱい目と二杯目、二杯目と三杯目、みんな順ぐりに糸か何かついていたよ。三百五十杯つながって居たとおいら今考えてるんだ。」

「全くだよ。おっと、急がないと大へんだ。」

「そうそう。」

　さて、みんなはひろってひろってひろって、夕方までにやっと一万つぶずつあつめて、カイロ団長のところへ帰って来ました。

　するととのさまがえるのカイロ団長はよろこんで、

「うん。よし。さあ、みんな舶来ウェスキーを一杯ずつのんで寝るんだよ。」と云いました。あまがえるどもも大よろこびでみんな粟のこっぷで舶来ウィスキイを一杯ずつ呑んで、キーイキーイと寝てしまいました。

　次の朝あまがえるどもは眼をさまして見ますと、もう一ぴきのとのさまがえるが来ていて、団長とこんなはなしをしていました。

「とにかく大いに盛んにやらないといかんね。そうでないと笑いものになってしまうだけだ。」

「全くだよ。どうだろう、一人前九十円ずつということにしたら。」

「うん。それ位ならまあよかろうかな。」

「よかろうよ。おや、みんな起きたね、今日は何の仕事をさせようかな。どうも毎日仕事がなくて困るんだよ。」

「うん。それは大いに同情するね。」

「今日は石を運ばせてやろうか。おい。みんな今日は石を一人で九十匁ずつ運んで来い。いや、九十匁じゃあまり少いかな。」

「うん。九百貫という方が口調がいいね。」

「そうだ、そうだ。どれだけいいか知れないね。おい、みんな。今日は石を一人につき九百貫ずつ運んで来い。もし来なかったら早速警察へ貴様らを引き渡すぞ。ここには裁判の方のお方もお出でになるのだ。首をシュッポオンと切ってしまう位、実にわけないはなしだ。」

あまがえるはみなすきとおってまっ青になってしまいました。それはその筈です。一人九百貫の石なんて、人間でさえ出来るもんじゃありません。ところがあまがえるの目方が何匁あるかと云ったら、たかが八匁か九匁でしょう。それが一日に一人で九百貫の石を運ぶなどはもうみんな考えただけでめまいを起してクゥウ、クゥウと鳴ってばたりばたり倒れてしまったことは全く無理もありません。

とのさまがえるは早速例の鉄の棒を持ち出してあまがえるの頭をコツンコツンと叩いてまわりました。あまがえるはまわりが青くくるくるするように思いながら仕事に出て行きました。お日さまさえ、ずうっと遠くの天の隅のあたりで、三角になってくるりくるりとうごいているように見えたのです。

みんなは石のある所に来ました。そしててんでに百匁ばかりの石につなをつけて、エンヤラヤア、ホイ、エンヤラヤアホイ。とひっぱりはじめました。みんなあんまり一生けん命だったので、汗がからだ中チクチクチクチク出て、からだはまるでへたへた風のようになり、世界はほとんどまっくらに見えました。とにかくそれでも三十疋が首尾よくめいめいの石をカイロ団長の家まで運んだときはもうおひるになっていました。それにみんなはつかれてふらふらして、目をあいていることも立っていることもできませんでした。あーあ、ところが、これから晩までにもう八百九十九貫九百匁運ばないと首をシュッポオンと切られるのです。

カイロ団長は丁度この時うちの中でいびきをかいて寝て居りましたがやっと目をさまして、ゆっくりと外へ出て見ました。あまがえるどもは、はこんで来た石にこしかけてため息をついたり、土の上に大の字になって寝たりしています。その影法師は青く日がすきとおって地面に美しく落ちていました。団長は怒って急いで鉄の棒を取りに家の中にはいりますと、その間に、目をさましていたあまがえるは、寝ていたものをゆり起して、団長が又出て来たときは、もうみんなちゃんと立っていました。カイロ団長が申しました。

「何だ。のろまども。今までかかってたったこれだけしか運ばないのか。何という貴様らは意気地なしだ。おれなどは石の九百貫やそこら、三十分で運んで見せるぞ。」

「とても私らにはできません。私らはもう死にそうなんです。」

「えい、意気地なしめ。早く運べ。晩までに出来なかったら、みんな警察へやってしまうぞ。警察ではシュッポンと首を切るぞ。ばかめ。」

あまがえるはみんなやけ糞になって叫びました。

「どうか早く警察へやって下さい。シュッポン、シュッポンと聞いていると何だか面白いような気がします。」

カイロ団長は怒って叫び出しました。

「えい、馬鹿者め意気地なしめ。

えい、ガーアアアアアアア。」カイロ団長は何だか変な顔をして口をパタンと閉じました。ところが「ガーアアアアアアア」と云う音はまだつづいています。それは全くカイロ団長の咽喉から出たのではありませんでした。かの青空高くひびきわたるかたつむりのメガホーンの声でした。王さまの新らしい命令のさきぶれでした。

「そら、あたらしいご命令だ。」と、あまがえるもとのさまがえるも、急いでしゃんと立ちました。かたつむりの吹くメガホーンの声はいともほがらかにひびきわたりました。

「王さまの新らしいご命令。王さまの新らしいご命令。一個条。ひとに物を云いつける方法。ひとに物を云いつける方法。第一、ひとにものを云いつけるときはそのいいつけられるものの目方で自分のからだの目方を割って答を見つける。第二云いつける仕事にその答をかける。第三、その仕事を一ぺん自分で二日間やって見る。以上。その通りやらないものは鳥の国へ引き渡す。」

さああまがえるどもはよろこんだのなんのって、チェッコという算術のうまいかえるなどは、もうすぐ暗算をはじめました。云いつけられるわれわれの目方は拾匁、云いつける団長のめがたは百匁、百匁割る十匁、答十。仕事は九百貫目、九百貫目掛ける十、答九千貫目。

「九千貫だよ。おい。みんな。」

「団長さん。さあこれから晩までに四千五百貫目、石をひっぱって下さい。」

「さあ王様の命令です。引っぱって下さい。」

今度は、とのさまがえるは、だんだん色がさめて、飴色にすきとおって、そしてブルブルふるえて参りました。

あまがえるはみんなでとのさまがえるを囲んで、石のある処へ連れて行きました。そして一貫目ばかりある石へ、綱を結びつけて「さあ、これを晩までに四千五百運べばいいのです。」と云いながらカイロ団長の肩に綱のさきを引っかけてやりました。団長もやっと覚悟がきまったと見えて、持っていた鉄の棒を投げすてて、眼をちゃんときめて、石を運んで行く方角を見定めましたがまだどうも本当に引っぱる気にはなりませんでした。そこであまがえるは声をそろえてはやしてやりました。

「ヨウイト、ヨウイト、ヨウイト、ヨウイトショ。」

カイロ団長は、はやしにつりこまれて、五へんばかり足をテクテクふんばってつなを引っ張りましたが、石はびくとも動きません。

とのさまがえるはチクチク汗を流して、口をあらんかぎりあけて、フウフウといきをしました。全くあたりがみんなくらくらして、茶色に見えてしまったのです。

「ヨウイト、ヨウイト、ヨウイト、ヨウイトショ。」

とのさまがえるは又四へんばかり足をふんばりましたが、おしまいの時は足がキクッと鳴ってくにゃりと曲がってしまいました。あまがえるは思わずどっと笑い出しました。がどう云うわけかそれから急にしいんとなってしまいました。それはそれはしいんとしてしまいました。みなさん、この時のさびしいことと云ったら私はとても口で云えません。みなさんはおわかりですか。ドッと一緒に人をあざけり笑ってそれから俄かにしいんとなった時のこのさびしいことです。

ところが丁度その時、又もや青ぞら高く、かたつむりのメガホーンの声がひびきわたりました。

「王様の新らしいご命令。王様の新らしいご命令。すべてあらゆるいきものはみんな気のいい、かあいそうなものである。けっして憎んではならん。以上。」それから声が又向こうの方へ行って「王様の新らしいご命令。」とひびきわたって居ります。

そこであまがえるは、みんな走り寄って、とのさまがえるに水をやったり、曲がった足をなおしてやったり、とんとんせなかをたたいたりいたしました。

とのさまがえるはホロホロ悔悟のなみだをこぼして、

「ああ、みなさん、私がわるかったのです。私はもうあなた方の団長でもなんでもありません。私はやっぱりただの蛙です。あしたから仕立屋をやります。」

あまがえるは、みんなよろこんで、手をパチパチたたきました。

次の日から、あまがえるはもとのように愉快にやりはじめました。

みなさん。あまあがりや、風の次の日、そうでなくてもお天気のいい日に、畑の中や花壇のかげでこんなようなさらさらさらさら云う声を聞きませんか。

「おい。ベッコ。そこん処をも少しよくならして呉れ。いいともさ。おいおい。ここへ植えるのはすずめのかたびらじゃない、すずめのてっぽうだよ。そうそう。どっちもすずめなもんだからつい間違(まちが)えてね。ハッハッハ。よう。ビチュコ。おい。ビチュコ、そこの穴うめて呉(く)れ。いいかい。そら、投げるよ。ようし来た。ああ、しまった。さあひっぱって呉れ。よいしょ。」

とっこべとら子

とっこべとらこ

おとら狐のはなしは、どなたもよくご存じでしょう。おとら狐にも、いろいろあったのでしょうか、私の知っているのは、「とっこべ、とら子。」というのです。

「とっこべ」というのは名字でしょうか。「とら」というのは名前ですかね。そうすると、名字がさまざまで、名前がみんな「とら」と云う狐が、あちこちに住んで居たのでしょうか。


さて、むかし、とっこべとら子は大きな川の岸に住んでいて、夜、網打ちに行った人から魚を盗ったり、買物をして町から遅く帰る人から油揚げを取りかえしたり、実に始末におえないものだったそうです。


慾ふかのじいさんが、ある晩ひどく酔っぱらって、町から帰って来る途中、その川岸を通りますと、ピカピカした金らんの上下の立派なさむらいに会いました。じいさんは、ていねいにおじぎをして行き過ぎようとしましたら、さむらいがピタリととまって、一寸そらを見上げて、それからあごを引いて、六平を呼び留めました。秋の十五夜でした。

「あいや、しばらく待て。六平と申す。そちは何と申す。」

「へいへい。私は六平と申します。」

「六平とな。そちは金貸しを業と致し居るな。」

「へいへい。御意の通りでございます。手元の金子は、すべて、只今ご用立致して居ります。」

「いやいや、拙者が借りようと申すのではない。どうじゃ。金貸しは面白かろう。」

「へい、御冗談、へいへい。御意の通りで。」

「拙者に少しく不用の金子がある。それに遠国に参る所じゃ。預かって置いて貰えまいか。尤も拙者も数々敵を持つ身じゃ。万一途中相果てたなれば、金子はそのままそちに遣わす。どうじゃ。」

「へい。それはきっとお預かりいたしまするでございます。」

「左様か。あいや、金子はこれにじゃ。そち自ら蓋を開いて一応改め呉れい。エイヤ。はい。ヤッ。」さむらいはふところから白いたすきを取り出して、たちまち十字にたすきをかけ、ごわりと袴のもも立ちを取り、とんとんとんと土手の方へ走りましたが、一寸かがんで土手のかげから、千両ばこを一つ持って参りました。

ははあ、こいつはきっと泥棒だ、そうでなければにせ金使い、しかし何でもかまわない、万一途中相果てたなれば、金はごろりとこっちのものと、六平はひとりで考えて、それからほくほくするのを無理にかくして申しました。

「へい。へい。よろしゅうございます。御意の通り一応お改めいたしますでございます。」

蓋を開くと中に小判が一ぱいつまり、月にぎらぎらかがやきました。

ハイ、ヤッとさむらいは千両函を又一つ持って参りました。六平は尤もらしく又あらためました。これも小判が一ぱいで月にぎらぎらです。ハイ、ヤッ、ハイヤッ、ハイヤッ。千両ばこはみなで十ほどそこに積まれました。

「どうじゃ。これだけをそち一人で持ち参れるかの。尤もそちの持てるだけ預けることといたそうぞよ。」

どうもさむらいのことばが少し変でしたし、そしてたしかに変ですが、まあ六平にはそんなことはどうでもよかったのです。

「へい。へい。何の千両ばこの十やそこばこ、きっときっと持ち参るでござりましょう。」

「うむ。左様か。しからば。いざ。いざ　持ち参れい。」

「へいへい。ウントコショ、ウントコショ、ウウントコショ。ウウウントコショ。」

「豪儀じゃ、豪儀じゃ、そちは左程になけれども、そちの身に添う慾心が実に大力じゃ。大力じゃのう。ほめ遣わす。ほめ遣わす。さらばしかと預けたぞよ。」

さむらいは銀扇をパッと開いて感服しましたが、六平は余りの重さに返事も何も出来ませんでした。

さむらいは扇をかざして月に向かって、

「それ一芸あるものはすがたみにくし、」と何だか謡曲のような変なものを低くうなりながら向こうへ歩いて行きました。

六平は十の千両ばこをよろよろしょって、もうお月さまが照ってるやら、路がどう曲ってどう上ってるやら、まるで夢中で自分の家までやってまいりました。そして荷物をどっかり庭におろして、おかしな声で外から怒鳴りました。

「開けろ開けろ。お帰りだ。大尽さまのお帰りだ。」

六平の娘が戸をガタッと開けて、

「あれまあ、父さん。そったに砂利しょって何しただす。」と叫びました。

六平もおどろいておろしたばかりの荷物を見ましたら、おやおや、それはどての普請の十の砂利俵でした。

六平はクウ、クウ、クウと鳴って、白い泡をはいて気絶しました。それからもうひどい熱病になって、二ヶ月の間というもの、

「とっこべとら子に、だまされだ。ああ欺されだ。」と叫んでいました。

みなさん。こんな話は一体ほんとうでしょうか。どうせ昔のことですから誰もよくわかりませんが多分偽ではないでしょうか。

どうしてって、私はその偽の方の話をも一つちゃんと知ってるんです。それはあんまりちかごろ起こったことでもうそれがうそなことは疑いもなにもありません。実はゆうべ起こったことなのです。

さあ、ご覧なさい。やはりあの大きな川の岸で、狐の住んでいた処から半町ばかり離れた所に平右衛門と云う人の家があります。

平右衛門は今年の春村会議員になりました。それですから今夜はそのお祝いで親類はみな呼ばれました。

もうみんな大よろこび、ワッハハ、アッハハ、よう、おらおととい町さ行ったら魚屋の店で章魚といかとが立ちあがって喧嘩した、ワッハハ、アッハハ、それはほんとか、それがらどうした、うん、かつおぶしが仲裁に入った、ワッハハ、アッハハ、それからどうした、ウン、するとかつおぶしがウゥイ、ころは元禄十四年んん、おいおい、それは何だい、うん、なにさ、かつおぶしだもふしばがり、ワッハハアッハハ、まあのめ、さあ一杯、なんて大さわぎでした。ところがその中に一人一向笑わない男がありました。それは小吉という青い小さな意地悪の百姓でした。

小吉はさっきから怒ってばかり居たのです。（第一おら、下座だちう筈ぁあんまい、ふん、お椀のふぢぁ欠げでる、油煙はばやばや、さがなの眼玉は白くてぎろぎろ、誰っても盃よごさないえい糞面白ぐもなぃ。）とうとう小吉がぷっと座を立ちました。

平右衛門が

「待て、待て、小吉。もう一杯やれ、待てったら。」と云っていましたが小吉はぷいっと下駄をはいて表に出てしまいました。

空がよく晴れて十三日の月がその天辺にかかりました。小吉が門を出ようとしてふと足もとを見ますと門の横の田の畔に疫病除けの「源の大将」が立って居ました。

それは竹へ半紙を一枚はりつけて大きな顔を書いたものです。

その「源の大将」が青い月のあかりの中でこと更顔を横にまげ眼を瞋らせて小吉をにらんだように見えました。小吉も怒ってすぐそれを引っこ抜いて田の中に投げてしまおうとしましたが俄かに何を考えたのかにやりと笑ってそれを路のまん中に立て直しました。

そして又ひとりでぷんぷんぷんぷん云いながら二つの低い丘を越えて自分の家に帰り、おみやげを待っていた子供を叱りつけてだまって床にもぐり込んでしまいました。

丁度その頃平右衛門の家ではもう酒盛りが済みましたので、お客様はみんなご馳走の残りを藁の苞に入れて、ぶらりぶらりぶらりと提げながら、三人ずつぶっつかったり、四人ずつぶっつかり合ったりして、門の処迄出て参りました。

縁側に出てそれを見送った平右衛門は、みんなにわかれの挨拶をしました。

「それではお気をつけて。おみやげをとっこべとらこに取られないようにアッハッハッハ。」

お客さまの中の一人がだらりと振り向いて返事しました。

「ハッハッハ。とっこべとらこだらおれの方で取って食ってやるべ。」

その語がまだ終らないうちに、神出鬼没のとっこべとらこが、門の向こうの道のまん中にまっ白な毛をさか立てて、こっちをにらんで立ちました。

「わあ、出た出た。逃げろ。逃げろ。」

もう大へんなさわぎです。みんな泥足でヘタヘタ座敷へ逃げ込みました。

平右衛門は手早くなげしから薙刀をおろし、さやを払い物凄い抜身をふり廻しましたので一人のお客さまはあぶなく赤いはなを切られようとしました。

平右衛門はひらりと縁側から飛び下りて、はだしで門前の白狐に向かって進みます。

みんなもこれに力を得てかさかさしたときの声をあげて景気をつけ、ぞろぞろ随いて行きました。

さて平右衛門もあまりと云えばありありとしたその白狐の姿を見ては怖さが咽喉までこみあげましたが、みんなの手前もありますので、やっと一声切り込んで行きました。

たしかに手ごたえがあって、白いものは薙刀の下で、プルプル動いています。

「仕留めたぞ。仕留めたぞ。みんな来い。」と平右衛門は叫びました。

「さすがは畜生の悲しさ、もろいもんだ。」とみんなは悦び勇んで狐の死骸を囲みました。

ところがどうです。今度はみんなは却ってぎっくりしてしまいました。そうでしょう。その古い狐は、もう身代りに疫病よけの「源の大将」などを置いて、どこかへ逃げているのです。

みんなは口々に云いました。

「やっぱり古い狐だな。まるで眼玉は火のようだったぞ。」

「おまけに毛といったら銀の針だ。」

「全く争われないもんだ。口が耳まで裂けていたからな。祟られまぃが。」

「心配するな。あしたはみんなで川岸に油揚を持って行って置いて来るとしよう。」

みんなは帰る元気もなくなって、平右衛門の所に泊りました。

「源の大将。」はお顔を半分切られて月光にキリキリ歯を喰いしばっているように見えました。

夜中になってから「とっこべ、とら子」とその沢山の可愛らしい部下とが又出て来て、庭に抛り出されたあのおみやげの藁の苞を、かさかさ引いた、たしかにその音がしたとみんながさっきも話していました。

よく利く薬とえらい薬

よくきくくすりとえらいくすり

清夫は今日も、森の中のあき地にばらの実をとりに行きました。
そして一足冷たい森の中にはいりますと、つぐみがすぐ飛んで来て言いました。
「清夫さん。今日もお薬取りですか。
お母さんは　どうですか。
ばらの実は　まだありますか。」
清夫は笑って、
「いや、つぐみ、お早う。」と言いながら其処を通りました。
其の声を聞いて、ふくろうが木の洞の中で太い声で言いました。
「清夫どの、今日も薬をお集めか。
お母は　すこしはいいか。
ばらの実は　まだ無くならないか。
　ゴギノゴギオホン、
　　今日も薬をお集めか。

お母は　すこしはいいか。

ばらの実は　まだ無くならないか。」

清夫は笑って、

「いや、ふくろう、お早う。」と言いながら其処を通りすぎました。

森の中の小さな水溜り（みずたま）の葦（あし）の中で、さっきから一生けん命歌っていたよし切りが、あわてて早口に云（い）いました。

「清夫さん清夫さん、
　お薬、お薬お薬、取りですかい？

清夫さん清夫さん、
　お母さん、お母さん、お母さんはどうですかい？

清夫さん清夫さん、
　ばらの実ばらの実、ばらの実はまだありますかい？」

清夫は笑って、

「いや、よしきり、お早う。」と云いながら其処を通り過ぎました。

そしてもう森の中の明地（あきち）に来ました。

そこは小さな円い緑の草原で、まっ黒なかやの木や唐檜（とうひ）に囲まれ、その木の脚（あし）もとには野ばらが一杯（いっぱい）に茂って、丁度（ちょうど）草原にへりを取ったようになっています。

清夫はお日さまで紫色（むらさきいろ）に焦（こ）げたばらの実をポツンポツンと取りはじめました。空では雲が旗のように光って流れたり、白い孔雀の尾のような模様を作ってかがやいたりしていました。

清夫はお母さんのことばかり考えながら、汗をポタポタ落として、一生けん命実をあつめましたがどう云う訳かその日はいつまで経っても籠の底がかくれませんでした。そのうちにもうお日さまは、空のまん中までおいでになって、林はツーンツーンと鳴り出しました。

（木の水を吸いあげる音だ）と清夫はおもいました。

それでもまだ籠の底はかくれませんでした。

かけすが、

「清夫さんもうおひるです。弁当おあがりなさい。落としますよ。そら。」と云いながら青いどんぐりを一粒ぽたっと落として行きました。

けれども清夫はそれ所ではないのです。早くいつもの位取って、おうちへ帰らないとならないのです。もう、おひるすぎになって旗雲がみんな切れ切れに東へ飛んで行きました。

まだ籠の底はかくれません。

よしきりが林の向こうの沼に行こうとして清夫の頭の上を飛びながら、

「清夫さん清夫さん。まだですか。まだですか。まだまだまだまぁだ。」と言って通りました。

清夫は汗をポタポタこぼしながら、一生けん命とりました。いつまでたっても籠の底はかくれません。とうとうすっかりつかれてしまって、ぼんやりと立ちながら、一つぶのばらの実を唇にあてました。

するとどうでしょう。唇がピリッとしてからだがブルブルッとふるい、何かきれいな流れが頭から手から足まで、すっかり洗ってしまったよう、何とも云えずすがすがしい気分になりました。空まではっきり青くなり、草の下の小さな苔（こけ）まではっきり見えるように思いました。

それに今まで聞こえなかったかすかな音もみんなはっきりわかり、いろいろの木のいろいろな匂（にお）いまで、実（じつ）に一一（いちいち）手にとるようです。おどろいて手にもったその一つぶのばらの実を見ましたら、それは雨の雫（しずく）のようにきれいに光ってすきとおっているのでした。

清夫は飛びあがってよろこんで早速（さっそく）それを持って風のようにおうちへ帰りました。そしてお母さんにあげました。お母さんはこわごわそれを水に入れて飲みましたら今までの病気ももうどこへやら急にからだがピンとなってよろこんで起きあがりました。それからもうすっかりたっしゃになってしまいました。

※

ところがその話はだんだんひろまりました。あっちでもこっちでも、その不思議なばらの実について評判していました。大かたそれは神様が清夫にお授けになったもんだろうというのでした。

ところが近くの町に大三（だいぞう）というものがありました。この人はからだがまるで象のようにふとって、それににせ金使いでしたから、にせ金ととりかえたほんとうのお金も沢山（たくさん）持っていましたし、それに誰（たれ）もにせ金使いだということを知りませんでしたから、自分だけではまあこれが人間のさいわいというものでおれというものもずいぶんえらいもんだと思って居ました。ところがただ一つ、どうもちかごろ頭がぼんやりしていけない　息がはあはあ云って困るというのでした。お医者たちはこれは少し喰べすぎですよ、も少しごちそうを少なくさえなされば頭のぼんやりしたのもからだのだるいのもみんな治りますとこう云うのでしたが、大三はいつでも、いいやこれは何かからだに不足なものがある為なんだ、それだから、見ろ、むかしは脚気などでも米の中に毒があるためだから米さえ食わなきゃなおるって云ったもんだが今はどうだ、それはビタミンというものがたべものの中に足りない為だとこう云うんだろう、お前たちは医者ならそんなこと位知ってそうなもんだというような工合に却って逆にお医者さんをいじめたりするのでした。

そしてしきりに、頭の工合のよくなって息のはあはあや、からだのだるいのが治ってそしてもっと物を沢山おいしくたべるような薬をさがしていましたがなかなか容易に見つかりませんでした。そこへ丁度この清夫のすきとおるばらの実のはなしを聞いたもんですからたまりません。早速人を百人ほど頼んで、林へさがしにやって参りました。それも折角さがしたやつを、すぐその人に呑まれてしまっては困るというので、暑いのを馬車に乗って、自分で林にやって参りました。それから林の入口で馬車を降りて、

一足つめたい森の中にはいりますと、つぐみがすぐ飛んで来て、少し呆れたように言いました。

「おや、おや、これは全体人だろうか象だろうかとにかくひどく肥ったもんだ。一体何しに来たのだろう。」

大三は怒って、

「何だと、今に薬さえさがしたらこの森ぐらい焼っぷくってしまうぞ。」と云いました。

その声を聞いてふくろうが木の洞の中で太い声で云いました。

「おや、おや、ついぞ聞いたこともない声だ。ふいごだろうか。人間だろうか。もしもふいごとすれば、ゴギノゴギオホン、銀をふくふいごだぞ。すてきに壁の厚いやつらしいぜ。」

さあ大三は自分の職業のことまで云われたものですから、まっ赤になって頰をふくらせてどなりました。

「何だと。人をふいごだと。今に薬さえさがしてしまったらこの林ぐらい焼っぷくってしまうぞ。」と云いました。

すると今度は、林の中の小さな水溜りの蘆の中に居たよしきりが、急いで云いました。

「おやおやおや、これは一体大きな皮の袋だろうか、それともやっぱり人間だろうか、愕いたもんだねえ、愕いたもんだねえ。びっくりびっくり、くりくりくりくりくり。」

さあ大三はいよいよ怒って、

「何だと畜生。薬さえ取ってしまったらこの林ぐらい、くるくるんに焼っぷくって見せるぞ。畜生。」

それから百人の人たちを連れて大三は森の空地に来ました。

「いいか、さあ。さがせ。しっかりさがせ。」大三はまん中に立って云いました。

みんなガサガサガサガサさがしましたが、どうしてもそんなものはありません。

空では雲が白鰻のように光ったり、白豚のように這ったりしています。

大三は早くその薬をのんでからだがピンとなることばかり一生けん命考えながら、汗をポタポタ滴らし息をはあはあついて待っていました。

みんなはガサガサガサガサやりますけれどもどうもなかなか見つかりません。

そのうちにもうお日さまは空のまん中までおいでになって、林はツーンツーンと鳴り出しました。ああなるほど、脚気の木がビタミンをほしいよほしいよと云ってるわいと、大三は思いました。それでもまだすきとおるばらの実はみつかりません。

かけすが、

「やあ象さん、もうおひるです。弁当おあがりなさい。落としますよ。そら。」

と云いながら、栗の木の皮を一切れポタッと落として行きました。

「えい畜生。あとで鉄砲を持って来てぶっ放すぞ。」大三ははぎしりしてくやしがりました。

空では白鰻のような雲も、みんな飛んで行き、大三は汗をたらしました。まだ見つかりません。

よしきりが林の向こうの沼の方に逃げながら、

「ふいごさん。ふいごさん。まだですか。まだですか。まだまだまだまぁだ。」

と云って通りました。

もう夕方になりました。そこでみんなはもうとてもだめだと思ってさがすのをやめてしまいました。大三もしばらくは困って立っていましたが、やがてポンと手を叩いて云いました。

「ようし。おれも大三だ。そのすきとおったばらの実を、おれが拵えて見せよう。おい、みんなばらの実を十貫目ばかり取って呉れ。」

そこで大三は、その十貫目のばらの実を持って、おうちへ帰って参りました。

それからにせ金製造場へ自分で降りて行って、ばらの実をるつぼに入れました。それからすきとおらせる為(ため)に、ガラスのかけらと水銀と塩酸を入れて、ブウブウとふいごにかけ、まっ赤に灼(や)きました。そしたらどうです。るつぼの中にすきとおったものが出来ていました。大三はよろこんでそれを呑(の)みました。するとアプッと云って死んでしまいました。それが丁度(ちょうど)そのばんの八時半ごろ、るつぼの中にできたすきとおったものは、実は昇汞(しょうこう)といういちばんひどい毒薬でした。

十月の末

じゅうがつのすえ

嘉ッコは、小さなわらじをはいて、赤いげんこを二つ顔の前にそろえて、ふっふっと息をふきかけながら、土間から外へ飛び出しました。外はつめたくて明るくて、そしてしんとしています。

嘉ッコのお母さんは、大きなけらを着て、縄を肩にかけて、そのあとから出て来ました。

「母、昨夜、土ぁ、凍みだじゃぃ。」嘉ッコはしめった黒い地面を、ばたばた踏みながら云いました。

「うん、霜ぁ降ったのさ。今日は畑ぁ、土ぁぐじゃぐじゃづがべもや。」と嘉ッコのお母さんは、半分ひとりごとのように答えました。

嘉ッコのおばあさんが、やっぱりけらを着て、すっかり支度をして、家の中から出て来ました。そして一寸手をかざして、明るい空を見まわしながらつぶやきました。

「爺んごぁ、今朝も戻て来ないがべが。家でぁこったに忙がしでば。」

「爺んごぁ、今朝も戻て来なぃがべが。」嘉ッコがいきなり叫びました。

おばあさんはわらいました。

「うん。けづな爺んごだもな。酔たぐれでばがり居で、一向仕事助けるもさなぃで。今日も町で飲んでらべぁな。うなは爺んごに消るやなぃじゃぃ。」
「ダゴダア、ダゴダア、ダゴダア。」嘉ッコはもう走って垣の出口の柳の木を見ていました。それはツンツン、ツンツンと鳴いて、枝中はねあるく小さなみそさざいで一杯でした。

実に柳は、今はその細長い葉をすっかり落として、冷たい風にほんのすこしゆれ、そのてっぺんの青ぞらには、町のお祭りの晩の電気菓子のような白い雲が、静かに翔けているのでした。

「ツツンツツン、チ、チ、ツン、ツン。」

みそさざいどもは、とんだりはねたり、柳の木のなかで、じつにおもしろそうにやっています。柳の木のなかというわけは、葉の落ちてカラッとなった柳の木の外側には、すっかりガラスが張ってあるような気がするのです。それですから、嘉ッコはますます大よろこびです。けれどもとうとう、そのすきとおるガラス函もこわれました。それはお母さんやおばあさんがこっちへ来ましたので、嘉ッコが「ダア。」と云いながら、両手をあげたものですから、小さなみそさざいどもは、みんなまるでまん円になって、ぼろんと飛んでしまったのです。

さてみそさざいも飛びましたし、嘉ッコは走って街道に出ました。

電信ばしらが、

「ゴーゴー、ガーガー、キイミイガアアヨオワア、ゴゴー、ゴゴー、ゴゴー。」となっています。

嘉ッコは街道のまん中に小さな腕を組んで立ちながら、松並木のあっちこっちをよくよく眺めましたが、松の葉がパサパサ続くばかり、そのほかにはずうっとはずれのはずれの方に、白い牛のようなものが頭だか足だか一寸出しているだけです。嘉ッコは街道を横ぎって、山の畑の方へ走りました。お母さんたちもあとから来ます。けれども、この路ならば、お母さんよりおばあさんより、嘉ッコの方がよく知っているのでした。路のまん中に一寸顔を出している円いあばたの石ころさえも、嘉ッコはちゃんと知っているのでした。厭きる位知っているのでした。

嘉ッコは林にはいりました。松の木や楢の木が、つんつんと光のそらに立っています。

林を通り抜けると、そこが嘉ッコの家の豆畑でした。

豆ばたけは、今はもう、茶色の豆の木でぎっしりです。

豆はみな厚い茶色の外套を着て、百列にも二百列にもなって、サッサッと歩いている兵隊のようです。

お日さまはそらのうすぐもにはいり、向こうの方のすすきの野原がうすく光っています。

黒い鳥がその空の青じろいはてを、ななめにかけて行きました。

お母さんたちがやっと林から出て来ました。それから向こうの畑のへりを、もう二人の人が光ってこっちへやって参ります。一人は大きく一人は黒くて小さいのでした。

それはたしかに、隣りの善コと、そのお母さんとにちがいありません。

「ホー、善コォ。」嘉ッコは高く叫びました。

「ホー。」高く返事が響いて来ます。そして二人はどっちからもかけ寄って、丁度畑の堺で会いました。善コの家の畑も、茶色外套の豆の木の兵隊で一杯です。

「汝ぃの家さ、今朝、霜降ったが。」と嘉ッコがたずねました。

「霜ぁ、おれぁの家さ降った。うなぃの家さ降ったが。」善コが云いました。

「うん、降った。」

それから二人は善コのお母さんが持って来た蓆の上に座りました。お母さんたちはうしろで立って談しています。

二人はむしろに座って、

「わあああああああ。」と云いながら両手で耳を塞いだりあけたりして遊びました。ところが不思議なことは、「わあああんああああ。」と云わないでも、両手で耳を塞いだりあけたりしますと、

「カーカーココーコー、ジャー。」という水の流れるような音が聞こえるのでした。

「じゃ、汝、あの音ぁ何の音だが覚だが。」

と嘉ッコが云いました。善コもしばらくやって見ていましたが、やっぱりどうしてもそれがわからないらしく困ったように、

「奇体だな。」と云いました。

その時丁度嘉ッコのお母さんが畦の向こうの方から豆を抜きながらだんだんこっちへ来ましたので　嘉ッコは高く叫びました。

「母、こう云にしてガアガアど聞こえるものぁ何だべ。」

「西根山の滝の音さ。」お母さんは豆の根の土をばたばた落としながら云いました。二人は西根山の方を見ました。けれどもそこから滝の音が聞こえて来るとはどうも思われませんでした。

お母さんが向こうへ行って今度はおばあさんが来ました。

「ばさん。こう云にしてガアガアコーコーど鳴るものぁ何だべ。」

おばあさんはやれやれと腰をのばして、手の甲で額を一寸こすりながら、二人の方を見て云いました。

「天の邪鬼の小便の音さ。」

二人は変な顔をしながら黙ってしばらくその音を呼び寄せて聞いていましたが、俄かに善コがびっくりする位叫びました。

「ほう、天の邪鬼の小便ぁ永ぃな。」

そこで嘉ッコが飛びあがって笑っておばあさんの所に走って行って云いました。

「アッハッハ、ばさん。天の邪鬼の小便ぁたまげだ永ぃな。」

「永ぃてさ、天の邪鬼ぁいっつも小便、垂れ通しさ。」とおばあさんはすまして云いながら又豆を抜きました。嘉ッコは呆れてぼんやりとむしろに座りました。

お日さまはうすい白雲にはいり、黒い鳥が高く高く環をつくっています。その雲のこっち、豆の畑の向こうを、鼠色の服を着て、鳥打をかぶったせいのむやみに高い男が、なにかたくさん肩にかついで大股に歩いて行きます。

「兵隊さん。」善コが叫びながらそっちへかけ出しました。

「兵隊さんだなぃ。鉄砲持ってなぃぞ。」嘉ッコも走りながら云いました。

「兵隊さん。」善コが又叫びました。

「兵隊さんだなぃ。鉄砲持ってなぃぞ。」けれどもその時は二人はもう旅人の三間ばかりこっちまで来ていました。

「兵隊さん。」善コは又叫んでからおかしな顔をしてしまいました。

見るとその人は赤ひげで西洋人なのです。おまけにその男が口を大きくして叫びました。

「グルルル、グルウ、ユー、リトル、ラズカルズ、ユー、プレイ、トラウント、ビ、オッフ、ナウ、スカッド、アウエイ、テゥ、スクール。」

と雷のような声でどなりました。そこで二人はもうグーとも云わず、まん円になって一目散に逃げました。するとうしろではいかにも面白そうに高く笑う声がします。向こうの方ではお母さんたちが心配そうに手をかざしてこっちを見ていましたが、やがて一寸おじぎをしました。二人は振り返って見ますとその鼠色の旅人も笑いながら帽子をとっておじぎをして居りました。そして又大股に向こうに歩いて行ってしまいました。

お日さまが又かっと明るくなり、二人はむしろに座ってひばりもいないのに、

「ひばり焼げこ、ひばりこんぶりこ、」なんて出鱈目なひばりの歌を歌っていました。

そのうちに嘉っこがふと思い出したように歌をやめて、一寸顔をしかめましたが、俄かに云いました。

「じゃ、うなぃの爺んごぁ、酔ったぐれだが。」

「うんにゃ、おれぁの爺んごぁ酔ったぐれだなぃ。」善コが答えました。

「そだら、うなぃの爺んごど俺ぁの爺んごど、爺んご取っ換ぇだらいがべじゃぃ。取っ換ぇなぃ

どが。」嘉ッコがこれを云うか云わないにウンと云うくらいひどく耳をひっぱられました。見ると嘉ッコのおじいさんがけらを着て章魚のような赤い顔をして嘉ッコを上から見おろしているのでした。

「なにしたど。爺んご取っ換ぇるど。それよりもうなのごと山山のへっぴり伯父さ呉でやるべが。」

「じさん、許せゆるせ、取っ換ぇなぃはんて、ゆるせ。」嘉ッコは泣きそうになってあやまりました。そこでじいさんは笑って自分も豆を抜きはじめました。

※

火は赤く燃えています。けむりは主におじいさんの方へ行きます。

嘉ッコは、黒猫をしっぽでつかまえて、ギッと云うくらいに抱いていました。向こう側ではもう学校に行っている嘉ッコの兄さんが、鞄から読本を出して声を立てて読んでいました。

「松を火にたくいろりのそばで
　よるはよもやまはなしがはずむ
　母が手ぎわのだいこんなます
　これがいなかのとしこしざかな。第十三課……。」

「何したど。大根なますだど。としこしざがなだど。あんまりけづな書物だな。」とおじいさんがいきなり云いました。そこで嘉ッコのお父さんも笑いました。

「なあにこの書物ぁ倹約教えだのだべも。」

ところが嘉ッコの兄さんは、すっかり怒ってしまいました。そしてまるで泣き出しそうになって、読本を鞄にしまって、

「嘉ッコ、猫ぉおれさ寄越せじゃ。」と云いました。

「わがないんちゃ。厭んたんちゃ。」と嘉ッコが云いました。

「寄越せったら、寄越せ。嘉ッコぉ。わあい。寄越せじゃぁ。」

「厭んたぁ、厭んたぁ、厭んたったら。」

「そだら撲だぐじゃい。いいが。」嘉ッコの兄さんが向こうで立ちあがりました。おじいさんがそれをとめ、嘉ッコがすばやく逃げかかったとき、俄に途方もない、空の青セメントが一ぺんに落ちたというようなガタアッという音がして家はぐらぐらっとゆれ、みんなはぼかっとして呆れてしまいました。猫は嘉ッコの手から滑り落ちて、ぶるるっとからだをふるわせて、それから一目散にどこかへ走って行ってしまいました。「ガリガリッ、ゴロゴロゴロゴロ。」音は続き、それからバァッと表の方が鳴って何か石ころのようなものが一散に降って来たようすです。

「お雷さんだ。」おじいさんが云いました。

「雹だ。」お父さんが云いました。ガアガアッと云うその雹の音の向こうから、

「ホーォ。」ととなりの善コの声が聞こえます。

「ホーオォ。」と嘉ッコが答えました。

「ホーオォ。」となりで又叫んでいます。

「ホーオォー。」嘉ッコが咽喉一杯笛のようにして叫びました。

俄かに外の音はやみ淵の底のようにしずかになってしまって気味が悪いくらいです。

嘉ッコの兄さんは雹を取ろうと下駄をはいて表に出ました。嘉ッコも続いて出ました。空はまるで新らしく拭いた鏡のようになめらかで、青い七日ごろのお月さまがそのまん中にかかり、地面はぎらぎら光って嘉ッコは一寸氷砂糖をふりまいたのだとさえ思いました。

南のずうっと向こうの方は、白い雲か霧かがかかり、稲光りが月あかりの中をたびたび白く渡ります。二人は雀の卵ぐらいある雹の粒をひろって愕ろきました。

「ホーォ。」善コの声がします。

「ホーォ。」嘉ッコと嘉ッコの兄さんとは一所に叫びながら垣根の柳の木の下まで出て行きました。となりの垣根からも小さな黒い影がプイッと出てこっちへやって参ります。善コです。嘉ッコは走りました。

「ほお、雹だじゃぃ。大きじゃぃ。こったに大きじゃぃ。」

善コも一杯つかんでいました。

「俺家のなもこの位あるじゃぃ。」

稲ずまが又白く光って通り過ぎました。

「あ、山山のへっぴり伯父。」嘉ッコがいきなり西を指さしました。西根の山山のへっぴり伯父は月光に青く光って長々とからだを横たえました。

ひかりの素足

ひかりのすあし

一、山小屋

鳥の声があんまりやかましいので一郎は眼(め)をさましました。

もうすっかり夜があけていたのです。

小屋の隅(すみ)から三本の青い日光の棒が斜(なな)めにまっすぐに兄弟の頭の上を越(こ)して向こうの萱(かや)の壁(かべ)の山刀やはむばきを照らしていました。

土間のまん中では榾(ほだ)が赤く燃えていました。日光の棒もそのけむりのために青く見え、またそのけむりはいろいろなかたちになってついついとその光の棒の中を通って行くのでした。

「ほう、すっかり夜ぁ明げだ。」一郎はひとりごとを云(い)いながら弟の楢夫(ならお)の方に向き直りました。楢夫の顔はりんごのように赤く、口をすこしあいてまだすやすや睡(ねむ)って居ました。白い歯が少しばかり見えていましたので一郎はいきなり指でカチンとその歯をはじきました。

楢夫は目をつぶったまま一寸(ちよつと)顔をしかめましたがまたすうすう息をしてねむりました。

「起ぎろ、楢夫、夜ぁ明げだ、起ぎろ。」一郎は云いながら楢夫の頭をぐらぐらゆすぶりました。

楢夫はいやそうに顔をしかめて何かぶつぶつ云っていましたがとうとううすく眼を開きました。

そしていかにもびっくりしたらしく
「ほ、山さ来てらたもな。」とつぶやきました。

「昨夜、今朝方だたがな、火ぁ消でらたな、覚だが。」

一郎が云いました。

「知らなぃ。」

「寒くてさ。お父さん起ぎて又燃やしたようだっけぁ。」

楢夫は返事しないで何かぼんやりほかのことを考えているようでした。

「お父さん外で稼ぃでら。さ、起ぎべ。」

「うん。」

そこで二人は一所にくるまって寝た小さな一枚の布団から起き出しました。そして火のそばに行きました。楢夫はけむそうにめをこすり一郎はじっと火を見ていたのです。

外では谷川がごうごうと流れ鳥がツンツン鳴きました。

その時にわかにまぶしい黄金の日光が一郎の足もとに流れて来ました。

顔をあげて見ますと入口がパッとあいて向こうの山の雪がつんつんと白くかがやきお父さんがまっ黒に見えながら入って来たのでした。

「起ぎだのが。昨夜寒ぐなぃがったが。」

「いいえ、」

「火ぁ消でらたもな。おれぁ二度起ぎで燃やした。さあ、口漱げ、飯でげでら、楢夫。」

「うん。」

「家ど山どどっちぁ好い。」

「山の方ぁい、いんとも学校さ行がれないもな。」

するとお父さんが鍋を少しあげながら笑いました。一郎は立ちあがって外に出ました。楢夫もつづいて出ました。

何というきれいでしょう。空がまるで青びかりでツルツルしてその光はツンツンと二人の眼にしみ込みまた太陽を見ますとそれは大きな空の宝石のように橙や緑やかがやきの粉をちらしまぶしさに眼をつむりますと今度はその蒼黒いくらやみの中に青あおと光って見えるのです、あたらしく眼をひらいては前の青ぞらに桔梗いろや黄金やたくさんの太陽のかげぼうしがくらくらとゆれてかかっています。

一郎はかけひの水を手にうけました。かけひからはつららが太い柱になって下までとどき、水はすきとおって日にかがやきまたゆげをたてていかにも暖かそうに見えるのでしたがまことはつめたく寒いのでした。一郎はすばやく口をそそぎそれから顔もあらいました。

それからあんまり手がつめたいのでお日さまの方へ延ばしました。それでも暖まりませんでしたからのどにあてました。

その時楢夫も一郎のとおりまねをしてやっていましたが、とうとうつめたくてやめてしまいました。まったく楢夫の手は霜やけで赤くふくれていました。一郎はいきなり走って行って「冷だぁが」と云いながらそのぬれた小さな赤い手を両手で包んで暖めてやりました。

そうして二人は又小屋の中にはいりました。

お父さんは火を見ながらじっと何か考え、鍋はことこと鳴っていました。

二人も座りました。

日はもうよほど高く三本の青い日光の棒もだいぶ急になりました。

向こうの山の雪は青ぞらにくっきりと浮きあがり見ていますと何だかこころが遠くの方へ行くようでした。

にわかにそのいただきにパッとけむりか霧のような白いぼんやりしたものがあらわれました。

それからしばらくたってフィーとするどい笛のような声が聞こえて来ました。

すると楢夫がしばらく口をゆがめて変な顔をしていましたがとうとうどうしたわけかしくしく泣きはじめました。一郎も変な顔をして楢夫を見ました。

お父さんがそこで

「何した、家さ行ぐだぐなったのが、何した。」とたずねましたが楢夫は両手を顔にあてて返事もしないで却ってひどく泣くばかりでした。

「何した、楢夫、腹痛ぃが。」一郎もたずねましたがやっぱり泣くばかりでした。

お父さんは立って楢夫の額に手をあてて見てそれからしっかり頭を押さえました。

するとだんだん泣きやんでついにはただしくしく泣きじゃくるだけになりました。

「何して泣ぃだ。家さ行ぐだぃぐなったべぁな。」お父さんが云いました。

「うんにゃ。」楢夫は泣きじゃくりながら頭をふりました。

「どごが痛くてが。」

「うんにゃ。」

「そだらなして泣ぃだりゃ、男などぁ泣がなぃだな。」

「怖っかなぃ。」まだ泣きながらやっと答えるのでした。

「なして怖っかなぃ。お父さんも居るし兄なも居るし昼まで明りくて何っても怖っかなぃごとぁ無いじゃぃ。」

「うんう、怖っかなぃ。」

「何ぁ怖っかなぃ。」

「風の又三郎ぁ云ったたか。」

「何て云った。風の又三郎など、怖っかなぐなぃ。何て云った。」

「お父さんおりゃさ新らしきもの着せるって云ったたか。」楢夫はまた泣きました。一郎もなぜかぞっとしました。けれどもお父さんは笑いました。

「ああははは、風の又三郎ぁ、いい事云ったな。四月になったら新らし着物買ってけらな。一向泣ぐごとぁなぃじゃぃ。泣ぐな泣ぐな。」

「泣ぐな。」一郎も横からのぞき込んでなぐさめました。

「もっと云ったか。」楢夫はまるで眼をこすってまっかにして云いました。

「何て云った。」

「それがらお母さん、おりゃのごと湯さ入れで洗うて云ったか。」

「あぁはは、そいづぁ嘘ぞ。楢夫などぁいっつも一人して湯さ入るもな。風の又三郎などぁ偽こぎさ。泣ぐな、泣ぐな。」

お父さんは何だか顔色を青くしてそれに無理に笑っているようでした。一郎もなぜか胸がつまって笑えませんでした。楢夫はまだ泣きやみませんでした。

「さあお飯食うべし泣ぐな。」

楢夫は眼をこすりながら変に赤く小さくなった眼で一郎を見ながら又言いました。

「それがらみんなしておりゃのごと送って行ぐて云ったか。」

「みんなして汝のごと送てぐど。そいづぁなぁ、うな立派になってどごさが行ぐ時ぁみんなして送ってぐづごとさ。みんないいごとばがりだ。泣ぐな。な、泣ぐな。春になったら盛岡祭見さ連でぐはんて泣ぐな。な。」

一郎はまっ青になってだまって日光に照らされたたき火を見ていましたが、この時やっと云いました。

「なあに風の又三郎など、怖っかなぐなぃ。いっつも何だりかだりって人だますじゃい。」

楢夫もようやく泣きじゃくるだけになりました。けむりの中で泣いて眼をこすったもんですから眼のまわりが黒くなってちょっと小さな狸のように見えました。

お父さんはなんだか少し泣くように笑って

「さあもう一がえり面洗わなぃやなぃ。」と云いながら立ちあがりました。

二、峠

ひるすぎになって谷川の音もだいぶかわりました。何だかあたたかくそしてどこかおだやかに聞こえるのでした。

お父さんは小屋の入口で馬を引いて炭をおろしに来た人と話していました。ずいぶん永いこと話していました。それからその人は炭俵を馬につけはじめました。二人は入口に出て見ました。馬はもりもりかいばをたべてそのたてがみは茶色でばさばさしその眼は大きくて眼の中にはさまざまのおかしな器械が見えて大へんに気の毒に思われました。

お父さんが二人に言いました。

「そいでぁうなだ、この人さ随ぃで家さ戻れ。この人ぁ楢鼻まで行がはんて。今度の土曜日に天気ぁ好がったら又おれぁ迎ぇに行がはんてなぃ。」

あしたは月曜日ですから二人とも学校へ出るために家へ帰らなければならないのでした。

「そだら行がんす。」一郎が云いました。

「うん、それがら家さ戻ったらお母さんさ、ついでの人さたのんで大きな方の鋸をよごして呉ろって云えやぃな、いいが。忘れなよ。家まで丁度一時間半かがらはんてゆっくり行っても三時半にあ戻れる。のどぁ乾ぃでも雪たべなやぃ。」

した。

「うん。」楢夫が答えました。楢夫はもうすっかり機嫌を直してピョンピョン跳んだりしていま

馬をひいた人は炭俵をすっかり馬につけてつなを馬のせなかで結んでから

「さ、そいでぃ、行ぐまちゃ。わらし達ぁ先に立ったら好がべがな。」と二人のお父さんにたずねました。

「なぁに随で行ぐごたんす。どうがお願ぁ申さんすじゃ。」お父さんは笑っておじぎをしました。

「さ、そいでぁ、まんつ、」その人は牽づなを持ってあるき出し鈴はツァリンツァリンと鳴り馬は首を垂れてゆっくりあるきました。

一郎は楢夫をさきに立ててそのあとに跡いて行きました。みちがよくかたまってじっさい気持ちがよく、空はまっ青にはれて、却って少しこわいくらいでした。

「房下ってるじゃぃ。」にわかに楢夫が叫びました。一郎はうしろからよく聞こえなかったので

「何や。」とたずねました。

「あの木さ房下ってるじゃぃ。」楢夫が又云いました。見るとすぐ崖の下から一本の木が立っていてその枝には茶いろの実がいっぱいに房になって下って居りました。一郎はしばらくそれを見ました。それから少し馬におくれたので急いで追いつきました。馬を引いた人はこの時ちょっとうしろをふりかえってこっちをすかすようにして見ましたがまた黙ってあるきだしました。

みちの雪はかたまってはいましたがでこぼこでしたから馬はたびたびつまずくようにしました。楢夫もあたりを見てあるいていましたのでやはりたびたびつまずきそうにしました。

「下見で歩げ。」と一郎がたびたび云ったのでした。

みちはいつか谷川からはなれて大きな象のような形の丘の中腹をまわりはじめました。栗の木が何本か立って枯れた乾いた葉をいっぱい着け、鳥がちょんちょんと鳴いてうしろの方へ飛んで行きました。そして日の光がなんだか少しうすくなり雪がいままでより暗くそして却って強く光って来ました。

そのとき向こうから一列の馬が鈴をチリンチリンと鳴らしてやって参りました。

みちが一むらの赤い実をつけたまゆみの木のそばまで来たとき両方の人たちは行きあいました。兄弟の先に立った馬は一寸みちをよけて雪の中に立ちました。兄弟も膝まで雪にはいってみちをよけました。

「早ぃな。」

「早がったな。」挨拶をしながら向こうの人たちや馬は通り過ぎて行きました。

ところが一ばんおしまいの人は挨拶をしたなり立ちどまってしまいました。馬はひとりで少し歩いて行ってからうしろから「どう。」と云われたのでとまりました。兄弟は雪の中からみちにあがり二人とならんで立っていた馬もみちにあがりました。ところが馬を引いた人たちはいろいろ話をはじめました。

兄弟はしばらくは、立って自分たちの方の馬の歩き出すのを待っていましたがあまり待ち遠しかったのでとうとう少しずつあるき出しました。あとはもう峠を一つ越えればすぐ家でしたし、一里もないのでしたからそれに天気も少しは曇ったってみちはまっすぐにつづいているのでしたから何でもないと一郎も思いました。

馬をひいた人は兄弟が先に歩いて行くのを一寸よこめで見ていましたがすぐあとから追いつくつもりらしくだまって話をつづけました。

楢夫はもう早くうちへ帰りたいらしくどんどん歩き出し一郎もたびたびうしろをふりかえって見ましたが馬が雪の中で茶いろの首を垂れ二人の人が話し合って白い大きな手甲がちらっと見えたりするだけでしたからやっぱり歩いて行きました。

みちはだんだんのぼりになりついにはすっかり坂になりましたので楢夫はたびたび膝に手をつっぱって「うんうん」とふざけるようにしながらのぼりました。一郎もそのうしろからはあはあ息をついて
「よう、坂道、よう、山道」なんて云いながら進んで行きました。

けれどもとうとう楢夫は、つかれてくるりとこっちを向いて立ちどまりましたので、一郎はいきなりひどくぶっつかりました。

「疲いが。」一郎もはあはあしながら云いました。来た方を見ると路は一すじずうっと細くついて人も馬ももう丘のかげになって見えませんでした。いちめんまっ白な雪、(それは大へんくらく沈んで見えました、空がすっかり白い雲でふさがり太陽も大きな銀の盤のようにくもって光っていたのです)がなだらかに起伏しそのところどころに茶いろの栗や柏の木が三本四本ずつちらばっているだけじつにしぃんとして何ともいえないさびしいのでした。けれども楢夫はその丘の自分たちの頭の上からまっすぐに向こうへかけおりて行く一疋の鷹を見たとき高く叫びました。

「しっ、鳥だ。しゅう。」一郎はだまっていました。けれどもしばらく考えてから云いました。

「早ぐ峠越えるべ。雪降って来るじょ。」

ところが丁度そのときです。まっしろに光っている白いそらに暗くゆるやかにつらなっていた峠の頂の方が少しぼんやり見えて来ました。そしてまもなく小さな小さな乾いた雪のこなが少しばかりちらっちらっと二人の上から落ちて参りました。

「さあ楢夫　早ぐのぼれ、雪降って来た　上さ行げば平らだはんて。」一郎が心配そうに云いました。

楢夫は兄の少し変わった声を聞いてにわかにあわてました。そしてまるでせかせかとのぼりました。

「あんまり急ぐな。大丈夫だはんて、なあにあど一里も無ぃも。」一郎も息をはずませながら云いました。けれどもじっさい二人とも急がずに居られなかったのです。めの前もくらむように急ぎました。あんまり急ぎすぎたのでそれはながくつづきませんでした。雪がまったくひどくなって来た方も行く方もまるで見えず二人のからだもまっ白になりました。そして楢夫が泣いていきなり一郎にしがみつきました。

「戻るが、楢夫。戻るが。」一郎も困ってそう云いながら、来た下の方を一寸見ましたがとてももう戻ろうとは思われませんでした。それは来た方がまるで灰いろで穴のようにくらく見えたのです。それにくらべては峠の方は白く明るくおまけに坂の頂上だってもうじきでした。そこまでさえ行けばあとはもう十町もずうっと丘の上で平らでしたし来るときは山鳥も何べんも飛び立ち灌木の赤や黄いろの実もあったのです。

「さあもう一あしだ。歩べ。上まで行げば雪も降ってなぃしみぢも平らになる。歩べ、怖っかなぐなぃはんて歩べ。あどがらあの人も馬ひで来るしそれ、泣がなぃで、今度ぁゆっくり歩べ。」

一郎は楢夫の顔をのぞき込んで云いました。楢夫は涙をふいてわらいました。楢夫の頬に雪のかけらが白くついてすぐ溶けてなくなったのを一郎はなんだか胸がせまるように思いました。一郎が今度は先に立ってのぼりました。みちももうそんなにけわしくはありませんでしたし雪もすこし薄くなったようでした。それでも二人の雪沓は早くも一寸も埋まりました。

だんだんいただきに近くなりますと雪をかぶった黒いゴリゴリの岩がたびたびみちの両がわに出て来ました。

二人はだまってなるべく落ち着くようにして一足ずつのぼりました。一郎はばたばた毛布をうごかしてからだから雪をはらったりしました。

そしていいことはもうそこが峠のいただきでした。

「来た来た。さあ、あどぁ平らだぞ、楢夫。」

一郎はふりかえって見ました。楢夫は顔をまっかにしてはあはあしながらやっと安心したようにわらいました。けれども二人の間にもこまかな雪がいっぱいに降っていました。

「馬もきっと坂半分ぐらぃ登ったな。叫んで見べが。」

「うん。」

「いいが、一二三、ほおお。」

声がしんと空へ消えてしまいました。返事もなくこだまも来ずかえってそらが暗くなって雪がどんどん舞いおりるばかりです。

「さあ、歩べ。あど三十分で下りるにい。」

一郎はまたあるきだしました。

にわかに空の方でヒィウと鳴って風が来ました。雪はまるで粉のようにけむりのように舞いあがりくるしくて息もつかれずきもののすきまからはひやひやとからだにはいりました。兄弟は両手を顔にあてて立ちどまっていましたがやっと風がすぎたので又あるき出そうとするときこんどは前より一そうひどく風がやって来ました。その音はおそろしい笛のよう、二人のからだも曲げられ足もとをさらさら雪の横にながれるのさえわかりました。

とうげのいただきはまったくさっき考えたのとはちがっていたのです。楢夫はあんまりこころぼそくなって一郎にすがろうとしました。またうしろをふりかえっても見ました。けれども一郎は風がやむとすぐ歩き出しましたし、うしろはまるで暗く見えましたから楢夫はほんとうに声を立てないで泣くばかりよちよち兄に追い付いて進んだのです。

雪がもう沓のかかと一杯でした。ところどころには吹き溜りが出来てやっとあるけるぐらいでした。それでも一郎はずんずん進みました。楢夫もそのあしあとを一生けん命ついて行きました。一郎はたびたびうしろをふりかえってはいましたがそれでも楢夫はおくれがちでした。風がひゅうと鳴って雪がぱっとつめたいしろけむりをあげますと、一郎は少し立ちどまるようにし楢夫は小刻みに走って兄に追いすがりました。

けれどもまだその峯(みね)みちを半分も来ては居(お)りませんでした。吹(ふ)きだまりがひどく大きくなってたびたび二人はつまずきました。

一郎は一つの吹きだまりを越(こ)えるとき、思ったより雪が深くてとうとう足をさらわれて倒(たお)れました。一郎はからだや手やすっかり雪になって軋(きし)るように笑って起きあがりましたが楢夫(ならお)はうしろに立ってそれを見てこわさに泣きました。

「大丈夫(だいじょうぶ)だ。楢夫　泣ぐな。」一郎は云(い)いながら又(また)あるきました。けれどもこんどは楢夫がころびました。そして深く雪の中に手を入れてしまって急に起きあがりもできずおじぎのときのように頭をさげてそのまま泣いていたのです。一郎はすぐ走り戻(もど)ってだき起しました。そしてその手の雪をはらってやりそれから、

「さあも少しだ。歩げるが。」とたずねました。

「うん」と楢夫は云っていましたがその眼(め)はなみだで一杯(いっぱい)になりじっと向こうの方を見、口はゆがんで居りました。

雪がどんどん落ちて来ます。それに風が一そうはげしくなりました。二人は又走り出しましたけれどももうつまずくばかり一郎がころび楢夫がころびそれにいまはもう二人ともみちをあるいてるのかどうか前無かった黒い大きな岩がいきなり横の方に見えたりしました。

風がまたやって来ました。雪は塵(ちり)のよう砂のようけむりのよう楢夫はひどくせき込んでしまいました。

そこはもうみちではなかったのです。二人は大きな黒い岩につきあたりました。

一郎はふりかえって見ました。二人の通って来たあとはまるで雪の中にほりのようについていました。

「路まちがった。戻らないばわがない。」

一郎は云っていきなり楢夫の手をとって走り出そうとしましたがもうただの一足ですぐ雪の中に倒れてしまいました。

楢夫はひどく泣きだしました。

「泣ぐな。雪はれるうぢ此処に居るべし泣ぐな。」一郎はしっかりと楢夫を抱いて岩の下に立って云いました。

風がもうまるできちがいのように吹いて来ました。いきもつけず二人はどんどん雪をかぶりました。

「わがない。わがない。」楢夫が泣いて云いました。その声もまるでちぎるように風が持って行ってしまいました。一郎は毛布をひろげてマントのまま楢夫を抱きしめました。

一郎はこのときはもうほんとうに二人とも雪と風で死んでしまうのだと考えてしまいました。いろいろなことがまるでまわり燈籠のように見えて来ました。正月に二人は本家に呼ばれて行ってみんながみかんをたべたとき楢夫がすばやく一つたべてしまってもう一つを取ったので一郎はいけないというようにひどく目で叱ったのでした、そのときの楢夫の霜やけの小さな赤い手などがはっきり一郎に見えて来ました。いきが苦しくてまるでえらえらする毒をのんでいるようでした。一郎はいつか雪の中に座ってしまっていました。そして一そう強く楢夫を抱きしめました。

三、うすあかりの国

けれどもけれどもそんなことはまるでまるで夢のようでした。いつかつめたい針のような雪のこなもなんだかなまぬるくなり楢夫もそばに居なくなって一郎はただひとりぼんやりくらい藪のようなところをあるいて居りました。

そこは黄色にぼやけて夜だか昼だか夕方かもわからず、よもぎのようなものがいっぱいに生え、あちこちには黒いやぶらしいものがまるでいきもののようにいきをしているように思われました。

一郎は自分のからだを見ました。そんなことが前からあったのか、いつかからだには鼠いろのきれが一枚まきついてあるばかりおどろいて足を見ますと足ははだしになっていて今までもよほど歩いて来たらしく深い傷がついて血がだらだら流れて居りました。それに胸や腹がひどく疲れて今にもからだが二つに折れそうに思われました。一郎はにわかにこわくなって大声に泣きました。

けれどもそこはどこの国だったのでしょう。ひっそりとして返事もなく空さえもなんだかがらんとして、見れば見るほど変なおそろしい気がするのでした。それににわかに足が灼くように傷んで来ました。

「楢夫は。」ふっと一郎は思い出しました。

「楢夫ぉ。」一郎はくらい黄色なそらに向かって泣きながら叫びました。

しいんとして何の返事もありませんでした。一郎はたまらなくなってもう足の痛いのも忘れてはしり出しました。すると俄かに風が起こって一郎のからだについていた布はまっすぐにうしろの方へなびき、一郎はその自分の泣きながらはだしで走って行ってぼろぼろの布が風でうしろへなびいている景色を頭の中に考えて一そう恐ろしくかなしくてたまらなくなりました。

「楢夫ぉ。」一郎は又叫びました。

「兄な。」かすかなかすかなかすかな声が遠くの遠くから聞こえました。一郎はそっちへかけ出しました。そして泣きながら何べんも「楢夫ぉ、楢夫ぉ。」と叫びました。返事はかすかに聞こえたり又返事したのかどうか聞こえなかったりしました。

一郎の足はまるでまっ赤になってしまいました。そしてもう痛いかどうかもわからず血は気味悪く青く光ったのです。

一郎ははしってはしって走りました。

そして向こうに一人の子供が丁度風で消えようとする蠟燭の火のように光ったり又消えたりぺかぺかしているのを見ました。

それが顔に両手をあてて泣いている楢夫でした。一郎はそばへかけよりました。そしてにわかに足がぐらぐらして倒れました。それから力いっぱい起きあがって楢夫を抱こうとしました。楢夫は消えたりともったりしきりにしていましたがだんだんそれが早くなりとうとうその変りもわからないようになって一郎はしっかりと楢夫を抱いていました。

「楢夫、僕たちどこへ来たろうね。」一郎はまるで夢の中のように泣いて楢夫の頭をなでてやりながら云いました。その声も自分が云っているのか誰かの声を夢で聞いているのかわからないようでした。

「死んだんだ。」と楢夫は云ってまたはげしく泣きました。

一郎は楢夫の足を見ました。やっぱりはだしでひどく傷がついて居りました。

「泣かなくってもいいんだよ。」一郎は云いながらあたりを見ました。ずうっと向こうにぼんやりした白びかりが見えるばかりしいんとしてなんにも聞こえませんでした。

「あすこの明るいところまで行って見よう。きっとうちがあるから、お前あるけるかい。」

一郎が云いました。

「うん。おっかさんがそこに居るだろうか。」

「居るとも。きっと居る。行こう。」

一郎はさきになってあるきました。そらが黄いろでぼんやりくらくていまにもそこから長い手が出て来そうでした。

足がたまらなく痛みました。

「早くあすこまで行こう。あすこまでさえ行けばいいんだから。」一郎は自分の足があんまり痛くてバリバリ白く燃えてるようなのをこらえて云いました。けれども楢夫はもうとてもたまらないらしく泣いて地面に倒れてしまいました。

「さあ、兄さんにしっかりつかまるんだよ。走って行くから。」一郎は歯を喰いしばって痛みをこらえながら楢夫を肩にかけました。そして向こうのぼんやりした白光をめがけてまるでからだもちぎれるばかり痛いのを堪えて走りました。それでももうとてもたまらなくなって何べんも倒れました。倒れてもまた一生懸命に起きあがりました。

ふと振りかえって見ますと来た方はいつかぼんやり灰色の霧のようなものにかくれてその向こうを何かうす赤いようなものがひらひらしながら一目散に走って行くらしいのです。

一郎はあんまりの怖さに息もつまるようにおもいました。それでもこらえてむりに立ちあがってまた楢夫を肩にかけました。楢夫はぐったりとして気を失っているようでした。一郎は泣きながらその耳もとで

「楢夫、しっかりおし、楢夫、兄さんがわからないかい。楢夫」と一生けん命呼びました。

楢夫はかすかにかすかに眼をひらくようにはしましたけれどもその眼には黒い色も見えなかったのです。一郎はもうあらんかぎりの力を出してそこら中いちめんちらちらちらちら白い火になって燃えるように思いながら楢夫を肩にしてさっきめざした方へ走りました。足がうごいているかどうかもわからずからだは何か重い巌に砕かれて青びかりの粉になってちらけるよう、何べんも何べんも倒れては又楢夫を抱き起こして泣きながらしっかりとかかえ夢のように又走り出したのでした。それでもいつか一郎ははじめにめざしたうすあかるい処に来ては居ました。けれどもそこは決していい処ではありませんでした。却って一郎はからだ中凍ったように立ちすくんでしまいました。すぐ眼の前は谷のようになった窪地でしたがその中を左から右の方へ何ともいえずいたましいなりをした子供らがぞろぞろ追われて行くのでした。わずかばかりの灰いろのきれをからだにつけた子もあれば小さなマントばかりはだかに着た子もありました。瘠せて青ざめて眼

ばかり大きな子、髪の赭い小さな子、骨の立った小さな膝を曲げるようにして走って行く子、みんなからだを前にまげておどおど何かを恐れ横を見るひまもなくただふかくふかくため息をついたり声を立てないで泣いたり、ぞろぞろ追われるように走って行くのでした。みんな一郎のように足が傷ついていたのです。そして本とうに恐ろしいことはその子供らの間を顔のまっ赤な大きな人のかたちのものが灰いろの棘のぎざぎざ生えた鎧を着て、髪などはまるで火が燃えているよう、ただれたような赤い眼をして太い鞭を振りながら歩いて行くのでした。その足が地面にあたるときは地面はガリガリ鳴りました。一郎はもう恐ろしさに声も出ませんでした。

　楢夫ぐらいの髪のちぢれた子が列の中に居ましたがあんまり足が痛むと見えてとうとうよろよろつまずきました。そして倒れそうになって思わず泣いて

「痛いよう。おっかさん。」と叫んだようでした。するとすぐ前を歩いて行ったあの恐ろしいものは立ちどまってこっちを振り向きました。その子はよろよろして恐ろしさに手をあげながらうしろへ遁げようとしましたら忽ちその恐ろしいものの口がぴくっとうごきばっと鞭が鳴ってその子は声もなく倒れてもだえました。あとから来た子供らはそれを見てもただふらふらと避けて行くだけ、一語も云うものがありませんでした。倒れた子はしばらくもだえていましたがそれでもいつかさっきの足の痛みなどは忘れたように又よろよろと立ちあがるのでした。

　一郎はもう行くにも戻るにも立ちすくんでしまいました。俄かに楢夫が眼を開いて「お父さん。」と高く叫んで泣き出しました。すると丁度下を通りかかった一人のその恐ろしいものはそのゆがんだ赤い眼をこっちに向けました。一郎は息もつまるように思いました。恐ろしいものは

むちをあげて下から叫びました。

「そこらで何をしてるんだ。下りて来い。」

一郎はまるでその赤い眼に吸い込まれるような気がしてよろよろ二三歩そっちへ行きましたがやっとふみとまってしっかり楢夫を抱きました。その恐ろしいものは頬をぴくぴく動かし歯をむき出して咆えるように叫んで一郎の方に登って来ました。そしていつか一郎と楢夫とはつかまれて列の中に入っていたのです。ことに一郎のかなしかったことはどうしたのか楢夫が歩けるようになってはだしでその痛い地面をふんで一郎の前をよろよろ歩いていることでした。一郎はみんなと一緒に追われてあるきながら何べんも楢夫の名を低く呼びました。けれども楢夫はもう一郎のことなどは忘れたようでした。ただたびたびおびえるようにうしろに手をあげながら足の痛さによろめきながら一生けん命歩いているのでした。一郎はこの時はじめて自分たちを追っているものは鬼というものなこと、又楢夫などに何の悪いことがあってこんなつらい目にあうのかということを考えました。そのとき楢夫がとうとう一つの赤い稜のある石につまずいて倒れました。鬼のむちがその小さなからだを切るように落ちました。一郎はぐるぐるしながらその鬼の手にすがりました。

「私を代りに打って下さい。楢夫はなんにも悪いことがないのです。」

鬼はぎょっとしたように一郎を見てそれから口がしばらくぴくぴくしていましたが大きな声で斯う云いました。その歯がギラギラ光ったのです。

「罪はこんどばかりではないぞ。歩け。」

一郎はせなかがシィンとしてまわりがくるくる青く見えました。それからからだ中からつめたい汗が湧きました。

こんなにして兄弟は追われて行きました。けれどもだんだんなれて来たと見えて二人ともなんだか少し楽になったようにも思いました。ほかの人たちの傷ついた足や倒れるからだを夢のように横の方に見たのです。にわかにあたりがぼんやりくらくなりました。それから黒くなりました。追われて行く子供らの青じろい列ばかりその中に浮いて見えました。

だんだん眼が闇になれて来た時一郎はその中のひろい野原にたくさんの黒いものがじっと座っているのを見ました。微かな青びかりもありました。それらはみなからだ中黒い長い髪の毛で一杯に覆われてまっ白な手足が少し見えるばかりでした。その中の一つがどういうわけか一寸動いたと思いますと俄かにからだもちぎれるような叫び声をあげてもだえまわりました。そしてまもなくその声もなくなって一かけの泥のかたまりのようになってころがるのを見ました。そしてだんだん眼がなれて来たときその闇の中のいきものは刀の刃のように鋭い髪の毛でからだを覆われていること一寸でも動けばすぐからだを切ることがわかりました。

その中をしばらくしばらく行ってからまたあたりが少し明るくなりました。そして地面はまっ赤でした。前の方の子供らが突然烈しく泣いて叫びました。列もとまりました。鞭の音や鬼の怒り声が雹や雷のように聞こえて来ました。一郎のすぐ前を楢夫がよろよろしているのです。まったく野原のその辺は小さな瑪瑙のかけらのようなものでできていて行くものの足を切るのでした。

鬼は大きな鉄の沓をはいていました。その歩くたびに瑪瑙はガリガリ砕けたのです。一郎のまわりからも叫び声が沢山起りました。楢夫も泣きました。

「私たちはどこへ行くんですか。どうしてこんなつらい目にあうんですか。」楢夫はとなりの子にたずねました。

「あたしは知らない。痛い。痛い。痛いなぁ。おっかさん。」その子はぐらぐら頭をふって泣き出しました。

「何を云ってるんだ。みんなきさまたちの出かしたこった。どこへ行くあてもあるもんか。」うしろで鬼が咆えて又鞭をならしました。

野はらの草はだんだん荒くだんだん鋭くなりました。前の方の子供らは何べんも倒れては又力なく起きあがり足もからだも傷つき、叫び声や鞭の音はもうそれだけでも倒れそうだったのです。

楢夫がいきなり思い出したように一郎にすがりついて泣きました。

「歩け。」鬼が叫びました。鞭が楢夫を抱いた一郎の腕をうちました。一郎の腕はしびれてわからなくなってただびくびくうごきました。楢夫がまだすがりついていたので鬼が又鞭をあげました。

「楢夫は許して下さい、楢夫は許して下さい。」一郎は泣いて叫びました。

「歩け。」鞭が又鳴りましたので一郎は両腕であらん限り楢夫をかばいました。かばいながら一郎はどこからか
「にょらいじゅりょうぼん第十六。」というような語がかすかな風のように又匂いのように一郎に感じました。すると何だかまわりがほっと楽になったように思って

「にょらいじゅりょうぼん。」と繰り返してつぶやいてみました。すると前の方を行く鬼が立ちどまって不思議そうに一郎をふりかえって見ました。列もとまりました。どう云うわけか鞭の音も叫び声もやみました。しぃんとなってしまったのです。気がついて見るとそのうすくらい赤い瑪瑙の野原のはずれがぼうっと黄金いろになってその中を立派な大きな人がまっすぐにこっちへ歩いて来るのでした。どう云うわけかみんなはほっとしたように思ったのです。

四、光のすあし

その人の足は白く光って見えました。実にはやく実にまっすぐにこっちへ歩いて来るのでした。まっ白な足さきが二度ばかり光りもうその人は一郎の近くへ来ていました。

一郎はまぶしいような気がして顔をあげられませんでした。その人ははだしでした。まるで貝殻のように白くひかる大きなすあしでした。くびすのところの肉はかがやいて地面まで垂れていました。大きなまっ白なすあしだったのです。けれどもその柔らかなすあしは鋭い鋭い瑪瑙のかけらをふみ燃えあがる赤い火をふんで少しも傷つかず又灼けませんでした。地面の棘さえ又折れませんでした。

「こわいことはないぞ。」微かに微かにわらいながらその人はみんなに云いました。その大きな瞳は青い蓮のはなびらのようにりんとみんなを見ました。みんなはどう云うわけともなく一度に手を合わせました。

「こわいことはない。おまえたちの罪はこの世界を包む大きな徳の力にくらべれば太陽の光とあざみの棘のさきの小さな露のようなもんだ。なんにもこわいことはない。」

いつの間にかみんなはその人のまわりに環になって集って居りました。さっきまであんなに恐ろしく見えた鬼どもがいまはみなすなおにその大きな手を合わせ首を低く垂れてみんなのうしろに立っていたのです。

その人はしずかにみんなを見まわしました。

「みんなひどく傷を受けている。それはおまえたちが自分で自分を傷つけたのだぞ。けれどもそれも何でもない。」その人は大きなまっ白な手で楢夫の頭をなでました。楢夫も一郎もその手のかすかにほおの花のにおいのするのを聞きました。そしてみんなのからだの傷はすっかり癒っていたのです。

一人の鬼がいきなり泣いてその人の前にひざまずきました。それから頭をけわしい瑪瑙の地面に垂れその光る足を一寸手でいただきました。

その人は又微かに笑いました。すると大きな黄金いろの光が円い輪になってその人の頭のまわりにかかりました。その人は云いました。

「ここは地面が剣でできている。お前たちはそれで足やからだをやぶる。そうお前たちは思っている、けれどもこの地面はまるっきり平らなのだ。さあご覧。」

その人は少しかがんでそのまっ白な手で地面に一つ輪をかきました。みんなは眼を擦ったのです。又耳を疑ったのです。今までの赤い瑪瑙の棘ででき暗い火の舌を吐いていたかなしい地面が今は平らな平らな波一つ立たないまっ青な湖水の面に変わりその湖水はどこまでつづくのか、はては孔雀石の色に何条もの美しい縞になり、その上には蜃気楼のようにそしてもっとはっきりと沢山の立派な木や建物がじっと浮んでいたのです。それらの建物はずうっと遠くにあったのですけれども見上げるばかりに高く青や白びかりの屋根を持ったり虹のようないろの幡が垂れたり、一つの建物から一つの建物へ空中に真珠のように光る欄干のついた橋廊がかかったり高い塔はたくさんの鈴や飾り網を掛けそのさきの棒はまっすぐに高くそらに立ちました。それらの建物はしんとして音なくそびえその影は実にはっきりと水面に落ちたのです。

またたくさんの樹が立っていました。それは全く宝石細工としか思われませんでした。はんの木のようなかたちでまっ青な樹もありました。楊に似た木で白金のような小さな実になっているのもありました。みんなその葉がチラチラ光ってゆすれ互いにぶっつかり合って微妙な音をたてるのでした。

それから空の方からはいろいろな楽器の音がさまざまのいろの光のこなと一所に微かに降って来るのでした。もっともっと愕いたことはあんまり立派な人たちのそこにもここにも一杯なことでした。ある人人は鳥のように空中を翔けていましたがその銀いろの飾りのひもはまっすぐにうしろに引いて波一つたたないのでした。すべて夏の明方のようないい匂いで一杯でした。ところが一郎は俄かに自分たちも又そのまっ青な平らな湖水の上に立っていることに気がつきました。けれどもそれは湖水だったでしょうか。いいえ、水じゃなかったのです。硬かったのです。冷たかったのです、なめらかだったのです。それは実に青い宝石の板でした。板じゃない、やっぱり地面でした。あんまりそれがなめらかで光っていたので湖水のように見えたのです。

一郎はさっきの人を見ました。その人はさっきとは又まるで見ちがえるようでした。立派な瓔珞をかけ黄金の円光を冠りかすかに笑ってみんなのうしろに立っていました。そこに見えるどの人よりも立派でした。金と紅宝石を組んだような美しい花皿を捧げて天人たちが一郎たちの頭の上をすぎ大きな碧や黄金のはなびらを落して行きました。

そのはなびらはしずかにしずかにそらを沈んでまいりました。

さっきのうすくらい野原で一緒だった人たちはいまみな立派に変っていました。一郎は楢夫を見ました。楢夫がやはり黄金いろのきものを着、瓔珞も着けていたのです。それから自分を見ました。一郎の足の傷や何かはすっかりなおっていまはまっ白に光りその手はまばゆくいい匂いだったのです。

みんなはしばらくただよろこびの声をあげるばかりでしたがそのうちに一人の子が云いました。

「此処はまるでいいんだなあ、向こうにあるのは博物館かしら。」

その巨きな光る人が微笑って答えました。

「うむ。博物館もあるぞ。あらゆる世界のできごとがみんな集まっている。」

そこで子供らは俄かにいろいろなことを尋ね出しました。一人が云いました。

「ここには図書館もあるの。僕アンデルゼンのおはなしやなんかもっと読みたいなあ。」

一人が云いました。

「ここの運動場なら何でも出来るなあ、ボールだって投げたってきっとどこまでも行くんだ。」

非常に小さな子は云いました。

「僕はチョコレートがほしいなあ。」

その巨きな人はしずかに答えました。

「本はここにはいくらでもある。一冊の本の中に小さな本がたくさんはいっているようなのもある。小さな小さな形の本にあらゆる本のみな入っているような本もある、お前たちはよく読むがいい。運動場もある、そこでかけることを習うものは火の中でも行くことができる。チョコレートもある。ここのチョコレートは大へんにいいのだ。あげよう。」その大きな人は一寸空の方を見ました。一人の天人が黄いろな三角を組みたてた模様のついた立派な鉢を捧げてまっすぐに下りて参りました。そして青い地面に降りて恭しくその大きな人の前にひざまずき鉢を捧げました。

「さあたべてごらん。」その大きな人は一つを楢夫にやりながらみんなに云いました。みんなはいつか一つずつその立派な菓子を持っていたのです。それは一寸嘗めたときからだ中すうっと涼しくなりました。舌のさきで青い蛍のような色や橙いろの火やらきれいな花の図案になってチラチラ見えるのでした。たべてしまったときからだがピンとなりました。しばらくたってからだ中から何とも云えないいい匂いがぼうっと立つのでした。

「僕たちのお母さんはどっちに居るだろう。」楢夫が俄かに思いだしたように一郎にたずねました。

するとその大きな人がこっちを振り向いてやさしく楢夫の頭をなでながら云いました。

「今にお前の前のお母さんを見せてあげよう。お前はもうここで学校に入らなければならない。

それからお前はしばらく兄さんと別れなければならない。兄さんはもう一度お母さんの所へ帰るんだから。」

その人は一郎に云いました。

「お前はも一度あのもとの世界に帰るのだ。お前はすなおないい子供だ。よくあの棘(とげ)の野原で弟を棄(す)てなかった。あの時やぶれたお前の足はいまはもうはだしで悪い剣(けん)の林を行くことができるぞ。今の心持を決して離れるな。お前の国にはここから沢山(たくさん)の人たちが行っている。よく探してほんとうの道を習え。」その人は一郎の頭を撫(な)でました。一郎はただ手を合わせ眼(め)を伏(ふ)せて立っていたのです。それから一郎は空の方で力一杯(いっぱい)に歌っているいい声の歌を聞きました。その歌の声はだんだん変わりすべての景色はぼうっと霧(きり)の中のように遠くなりました。ただその霧の向こうに一本の木が白くかがやいて立ち楢夫がまるで光って立派になって立ちながら何か云いたそうにかすかにわらってこっちへ一寸手を延ばしたのでした。

五、峠

「楢夫」と一郎は叫(さけ)んだと思いましたら俄かに新らしいまっ白なものを見ました。それは雪でした。それからそれから青空がまばゆく一郎の上にかかっているのを見ました。

「息吐(つ)ぃだぞ。眼開(めあ)ぃだぞ。」一郎のとなりの家の赤髯(あかひげ)の人がすぐ一郎の頭のとこに曲(かが)んでいてしきりに一郎を起こそうとしていたのです。そして一郎ははっきり眼を開きました。楢夫を堅(かた)く抱いて雪に埋まっていたのです。まばゆい青ぞらに村の人たちの顔や赤い毛布や黒の外套がくっきりと浮かんで一郎を見下しているのでした。

「弟ぁなじょだ。弟ぁ。」犬の毛皮を着た猟師が高く叫びました。となりの人は楢夫の腕をつかんで見ました。一郎も見ました。

「弟ぁわがなぃよだ。早ぐ火焚げ」となりの人が叫びました。

「火焚ぃでわがなぃ。雪さ寝せろ。寝せろ。」

猟師が叫びました。一郎は扶けられて起されながら、も一度楢夫の顔を見ました。その顔は苹果のように赤くその唇はさっき光の国で一郎と別れたときのまま、かすかに笑っていたのです。けれどもその眼はとじその息は絶えそしてその手や胸は氷のように冷えてしまっていたのです。

ペンネンネンネンネン・ネネムの伝記

ぺんねんねんねんねん・ねねむのでんき

一、ペンネンネンネンネン・ネネムの独立

〔冒頭原稿数枚焼失〕

のでした。実際、東のそらは、お「キレ」さまの出る前に、琥珀色のビールで一杯になるのでした。ところが、そのまま夏になりましたが、ばけものたちはみんな騒ぎはじめました。

そのわけ〔十七字不明〕ばけもの麦も一向みのらず、大〔六字不明〕が咲いただけで一つぶも実になりませんでした。秋になっても全くその通〔七字不明〕栗の木さえ、ただ青いいがばかり、〔八字不明〕飢饉になってしまいました。

その年は暮れましたが、次の春になりますと飢饉はもうとてもひどくなってしまいました。

ネネムのお父さん、森の中の青ばけものは、ある日頭をかかえていつまでもいつまでも考えていましたが、急に起きあがって、

「おれは森へ行って何かさがして来るぞ。」と云いながら、よろよろ家を出て行きましたが、そ

れなりもういつまで待っても帰って来ませんでした。たしかにばけもの世界の天国に、行ってしまったのでした。

ネネムのお母さんは、毎日目を光らせて、ため息ばかり吐いていましたが、ある日ネネムとマミミとに、

「わたしは野原に行って何かさがして来るからね。」と云って、よろよろ家を出て行きましたが、やはりそれきりいつまで待っても帰って参りませんでした。たしかにお母さんもその天国に呼ばれて行ってしまったのでした。

ネネムは小さなマミミとただ二人、寒さと飢えとにガタガタふるえて居りました。

するとある日戸口から、

「いや、今日は。私はこの地方の飢饉を救けに来たものですがね、さあ何でも喰べなさい。」

と云いながら、一人の目の鋭いせいの高い男が、大きな籠の中に、ワップルや葡萄パンや、そのほかうまいものを沢山入れて入って来たのでした。

二人はまるで籠を引ったくるようにして、ムシャムシャムシャムシャ、沢山喰べてから、やっと、

「おじさんありがとう。ほんとうにありがとうよ。」なんて云ったのでした。

男は大へん目を光らせて、二人のたべる処をじっと見て居りましたがその時やっと口を開きました。

「お前たちはいい子供だね。しかしいい子供だというだけでは何にもならん。わしと一緒においい

で。いいとこへ連れてってやろう。尤も男の子は強いし、それにどうも膝やかかとの骨が固まってしまっているようだから仕方ないが、おい、女の子。おじさんとこへ来ないか。一日いっぱい葡萄パンを喰べさしてやるよ。」

ネネムもマミミも何とも返事をしませんでしたが男はふいっとマミミをお菓子の籠の中へ入れて、

「おお、ホイホイ、おお、ホイホイ。」と云いながら俄かにあわてだして風のように家を出て行きました。

何のことだかわけがわからずきょろきょろしていたマミミ〔一字不明〕、戸口を出てからはじめてわっと泣き出しネネムは、

「どろぼう、どろぼう。」と泣きながら叫んで追いかけましたがもう男は森を抜けてずうっと向こうの黄色な野原を走って行くのがちらっと見えるだけでした。マミミの声が小さな白い三角の光になってネネムの胸にしみ込むばかりでした。

ネネムは泣いてどなって森の中をうろうろうろうろはせ歩きましたがとうとう疲れてばたっと倒れてしまいました。

それから何日経ったかわかりません。

ネネムはふっと目をあきました。見るとすぐ頭の上のばけもの栗の木がふっふっと湯気を吐いていました。

その幹に鉄のはしごが両方から二つかかって、二人の男が登って何かしきりにつなをたぐるよ

うな網を投げるようなかたちをやって居りました。

ネネムは起きあがって見ますとおまけにテカテカして何でも今朝あたり顔をきれいに剃ったらしいのです。

それにかれ草がほかほかしてばけものわらびなどもふらふらと生え出しています。ネネムは飛んで行ってそれをむしゃむしゃたべました。するとネネムの頭の上でいやに平べったい声がしました。

「おい。子供。やっと目がさめたな。まだお前は飢饉のつもりかい。もうじき夏になるよ。すこしおれに手伝わないか。」

見るとそれは実に立派なばけもの紳士でした。貝殻でこしらえた外套を着て水煙草を片手に持って立っているのでした。

「おじさん。もう飢饉は過ぎたの。手伝いって何を手伝うの。」

「昆布取りさ。」

「ここで昆布がとれるの。」

「取れるとも。見ろ。折角やってるじゃないか。」

なるほどさっきの二人は一生けん命網をなげたりそれを繰ったりしているようでしたが網も糸も一向見えませんでした。

「あれでも昆布がとれるの。」

「あれでも昆布がとれるのかって。いやな子供だな。おい、縁起でもないぞ。取れもしないところにどうして工場なんか建てるんだ。取れるともさ。現におれはじめ沢山のものがそれでくらしを立てているんじゃないか。」

ネネムはかすれた声でやっと

「そうですか。おじさん。」と云いました。

「それにこの森はすっかりおれの森なんだからさっきのように勝手にわらびなんぞ取ることは疾うに差し止めてあるんだぞ。」

ネネムは大変いやな気がしました。紳士は又云いました。

「お前もおれの仕事に手伝え。一日一ドルずつ手間をやるぜ。そうでもしなかったらお前は飯を食えまいぜ。」

ネネムは泣き出しそうになりましたがやっとこらえて云いました。

「おじさん。そんなら僕手伝うよ。けれどもどうして昆布を取るの。」

「ふん。そいつは勿論教えてやる。いいか、そら。」紳士はポケットから小さく畳んだ洋傘の骨のようなものを出しました。

「いいか。こいつを延ばすと子供の使うはしごになるんだ。いいか。そら。」

紳士はだんだんそれを引き延ばしました。間もなく長さ十米ばかりの細い細い絹糸でこさえたようなはしごが出来あがりました。

「いいかい。こいつをね。あの栗の木に掛けるんだよ。ああ云う工合にね。」紳士はさっきの二人の男を指さしました。二人は相かわらず見えない網や糸をまっさおな空に投げたり引いたりしています。

紳士ははしごを栗の樹にかけました。

「いいかい。今度はおまえがこいつをのぼって行くんだよ。そら、登ってごらん。」

ネネムは仕方なくはしごにとりついて登って行きましたがはしごの段々がまるで針金のように細くて手や、足に喰い込んでちぎれてしまいそうでした。

「もっと登るんだよ。もっと。そら、もっと。」下では紳士が叫んでいます。ネネムはすっかり頂上まで登りました。栗の木の頂上というものはどうも実に寒いのでした。それに気がついて見ると自分の手からまるで蜘蛛の糸でこしらえたようなあやしい網がぐらぐらゆれながらずうっと青空の方へひろがっているのです。そのぐらぐらはだんだん烈しくなってネネムは危なく下に落ちそうにさえなりました。

「そら、網があったろう。そいつを空へ投げるんだよ。手がぐらぐら云うだろう。そいつはね、風の中のふかやさめがつきあたってるんだ。おや、お前はふるえてるね。意気地なしだなあ。投げるんだよ、投げるんだよ。そら、投げるんだよ。」

ネネムは何とも云えず厭な心持がしました。けれども仕方なく力一杯にそれをたぐり寄せてそれからあらんかぎり上の方に投げつけました。すると目がぐるぐるっとして、ご機嫌のいいおキレさままでがまるで黒い土の球のように見えそれからシュウとはしごのてっぺんから下へ落ちました。もう死んだとネネムは思いましたがその次にもう耳が抜けたとネネムは思いました。というわけはネネムはきちんと地面の上に立っていて紳士がネネムの耳をつかんでぶりぶり云いながら立っていました。

「お前もいくじのないやつだ。何というふにゃふにゃだ。俺（おれ）が今お前の耳をつかんで止めてやらなかったらお前は今ごろは頭がパチンとはじけていたろう。おれはお前の大恩人ということになっている。これから失礼をしてはならん。ところでさあ、登れ。登るんだよ。夕方になったらたべものも送ってやろう。夜になったら綿のはいったチョッキもやろう。さあ、登れ。」

「夕方になったら下へ降りて来るんでしょう。」

「いいや。そんなことがあるもんか。とにかく昆布（こんぶ）がとれなくちゃだめだ。どれ一寸（ちょっと）網を見せろ。」

紳士はネネムの手にくっついた網をたぐり寄せて中をあらためました。網のずうっとはじの方に一寸（いっすん）四方ばかりの茶色なヌラヌラしたものがついていました。紳士はそれを取って
「ふん、たったこれだけか。」と云いながらそれでも少し笑ったようでした。そしてネネムは又（また）はしごを上って行きました。

やっと頂上へ着いて又力一杯空に網を投げました。それからわくわくする足をふみしめふみしめ網を引き寄せて見ましたが中にはなんにもはいっていませんでした。

「それ、しっかり投げろ。なまけるな。」下では紳士が叫んでいます。ネネムはそこで又投げました。やっぱりなんにもありません。又投げました。やっぱり昆布ははいりません。

つかれてヘトヘトになったネネムはもう何でも構（かま）わないから下りて行こうとしました。すると愕（おどろ）いたことにははしごがありませんでした。

そしてもう夕方になったと見えてばけものぞらは緑色になり変なばけものパンが下の方からふらふらのぼって来てネネムの前にとまりました。紳士はどこへ行ったか影もかたちもありません。向こうの木の上の二人もしょんぼりと頭を垂れてパンを食べながら考えているようすでした。その木にも鉄のはしごがもう見えませんでした。

ネネムも仕方なくばけもののパンを噛じりはじめました。

その時紳士が来て、

「さあ、たべてしまったらみんな早く網を投げろ。昆布を一斤とらないうちは綿のはいったチョッキをやらんぞ。」とどなりました。

ネネムは叫びました。

「おじさん。僕もうだめだよ。おろしてお呉れ。」

紳士が下でどなりました。

「何だと。パンだけ食ってしまってあとはおろしてお呉れだと。あんまり勝手なことを云うな。」

「だってもううごけないんだもの。」

「そうか。それじゃ動けるまでやすむさ。」と紳士が云いました。ネネムは栗の木のてっぺんに腰をかけてつくづくとやすみました。

その時栗の木が湯気をホッホッと吹き出しましたのでネネムは少し暖まって楽になったように思いました。そこで又元気を出して網を空に投げました。空では丁度星が青く光りはじめたところでした。

ところが今度の網がどうも実に重いのです。ネネムはよろこんでたぐり寄せて見ますとたしかに大きな大きな昆布が一枚ひらりとはいって居りました。

　ネネムはよろこんで
「おじさん。さあ投げるよ。とれたよ。」

と云いながらそれを下へ落しました。

「うまい、うまい。よし。さあ綿のチョッキをやるぜ。」

　チョッキがふらふらのぼって来ました。ネネムは急いでそれを着て云いました。

「おじさん。一ドル呉れるの。」

　紳士が下の浅黄色のもやの中で云いました。

「うん。一ドルやる。しかしパンが一日一ドルだからな。一日十斤以上こんぶを取ったらあとは一斤十セントで買ってやろう。そのよけいの分がおまえのもうけさ。ためて置いていつでも払ってやるよ。その代り十斤に足りなかったら足りない分がお前の損さ。その分かしにして置くよ。」

　ネネムは実にがっかりしました。向こうの木の二人の男はもういくら星あかりにすかして見ても居ないようでした。きっとあんまり仕事がつらくて消滅してしまったのでしょう。さてネネムは決心しました。それからよるもひるも栗の木の湯気とばけものパンと見えない網と紳士と昆布と、これだけを相手にして実に十年というものこの仕事をつづけました。これらの対手の中でもパンと昆布とがまず大将でした。はじめの四年は毎日毎日借りばかり次の五年でそれを払いおしまいの三ヶ月でお金がたまりました。そこで下に降りてたまった三百ドルをふところにしてばけもの世界のまちの方へ歩き出しました。

二、ペンネンネンネンネン・ネネムの立身

ペンネンネンネンネン・ネネムは十年のあいだ木の上に直立し続けた為にしきりに痛む膝を撫でながら、森を出て参りました。森の出口に小さな雑貨商がありましたので、ネネムは店にはいって、まっ黒な上着とズボンを一つ買いました。それから急いでそれを着ながら考えました。

「何か学問をして書記になりたいもんだな。もう投げるようなたぐるようなことは考えただけでも命が縮まる。よしきっと書記になるぞ。」

ペンネンネンネンネン・ネネムはお銭を払って店を出る時ちらっと向こうの姿見にうつった自分の姿を見ました。

着物が夜のようにまっ黒、縮れた赤毛が頭から肩にふさふさ垂れまっ青な眼はかがやきそれが自分だかと疑った位立派でした。

ネネムは嬉しくて口笛を吹いてただ一息に三十ノットばかり走りました。

「ハンムンムンムン・ムムネの市まで、もうどれ位ありましょうか。」とペンネンネンネンネン・ネネムが、向こうからふらふらやって来た黄色な影法師のばけ物にたずねました。

「そうだね。一寸ここまでおいで。」その黄色な幽霊は、ネネムの四角な袖のはじをつまんで、一本のばけものりんごの木の下まで連れて行って、自分の片足をりんごの木の根にそろえて置い

て云いました。

「あなたも片足をここまで出しなさい。」

ネネムは急いでその通りしますとその黄色な幽霊は、屈んで片っ方の目をつぶって、足さきがりんごの木の根とよくそろっているか検査したあとで云いました。

「いいか。ハンムンムンムンムン・ムムネ市の入口までは、丁度この足さきから六ノット六チェーンあるよ。それでは途中気をつけておいで。」そしてくるっとまわって向こうへ行ってしまいました。

ネネムはそのうしろから、ていねいにお辞儀をして、

「ああありがとうございます。六ノット六チェーンならば、私が一時間一ノット一チェーンずつあるきますと六時間で参れます。一時間三ノット三チェーンずつあるきますと二時間で参れます。」

すっかり見当がつきまして、こんなうれしいことはありません。」と云いながら、もう一つ頭を下げました。赤毛はじゃらんと下に垂がりましたけれども、実は黄色の幽霊はもうずうっと向こうのばけもの世界のかげろうの立つ畑の中にでもはいったらしく、影もかたちもありませんでした。

そこでネネムは又あるき出しました。すると又向こうから無暗にぎらぎら光る鼠色の男が、赤いゴム靴をはいてやって参りました。そしてネネムをじろじろ見ていましたが、突然そばに走って来て、ネネムの右の手首をしっかりつかんで云いました。

「おい。お前は森の中の昆布採りがいやになってこっちへ出て来た様子だが、一体これから何が

目的だ。」

ネネムはこれはきっと探偵(たんてい)にちがいないと思いましたので、堅(かた)くなって答えました。

「はい。私は書記が目的であります。」

するとその男は左手で短いひげをひねって一寸(ちょっと)考えてから云(い)いました。

「ははあ、書記が目的か。して見ると何だな。お前は森の中であんまりばけものパンばかり喰(く)ったな。」

ネネムはすっかり図星(ずぼし)をさされて、面くらって左手で頭を掻(か)きました。

「はい実は少少たべすぎたかと存じます。」

「そうだろう。きっとそうにちがいない。よろしい。お前の身分や考えはよく諒解(りょうかい)した。行きなさい。わしはムムネ市の刑事だ。」

ネネムはそこでやっと安心してていねいにおじぎをして又(また)町の方へ行きました。

丁度(ちょうど)一時間と六分かかって、三ノット三チェーンを歩いたとき、ネネムは一人の百姓(ひゃくしょう)のおかみさんばけものと会いました。その人は遠くからいかにも不思議そうな顔をして来ましたが、とうとう泣き出してかけ寄りました。

「まあ、クエクや。よく帰っておいでだね。まあ、お前はわたしを忘れてしまったのかい。ああなさけない。」

ネネムは少し面くらいましたが、ははあ、これはきっと人ちがいだと気がつきましたので急いで云いました。

「いいえ、おかみさん。私はクエクという人ではありません。私はペンネンネンネンネン・ネネムというのです。」

するとその橙色(だいだいいろ)の女のばけものはやっと気がついたと見えて俄(にわ)かに泣き顔をやめて云いました。

「これはどうもとんだ失礼をいたしました。あなたのおなりがあんまりせがれそっくりなもんですから。」

「いいえ。どう致(いた)しまして。私は今度はじめてムムネの市に出る処(ところ)です。」

「まあ、そうでしたか。うちのせがれも丁度あなたと同じ年ころでした。まあ、お髪(ぐし)のちぢれ工(ぐ)合(あい)から、お耳のキラキラする工合、何から何までそっくりです。それにまあ、なめくじばけもののような柔(やわ)らかなおあしに、硬(かた)いはがねのわらじをはいて、なにが御志願でいらしゃるのやら。おお、うちのせがれもこんなわらじでどこを今ごろ、ポオ、ポオ、ポオ、ポオ。」とそのおかみさんばけものは泣き出しました。ネネムは困って、

「ね、おかみさん。あなたのむすこさんは、もうきっとどこかの書記になってるんでしょう。きっとじきお迎(むか)いをよこすにちがいありません。そんなにお泣きなさらなくてもいいでしょう。私は急ぎますからこれで失礼いたします。」と云いながらクラリオネットのようなすすり泣きの声をあとに、急いでそこを立ち去りました。

さてそれから十五分でネネムはムムネの市までもう三チェーンの所まで来ました。ネネムはそこで髪(かみ)をすっかり直して、それから路(みち)ばたの水銀の流れで顔を洗い、市にはいって行く支度(したく)をしました。

それからなるべく心を落ちつけてだんだん市に近づきますと、さすがはばけもの世界の首府のけはいは、早くもネネムに感じました。

　ノンノンノンノンノンノンといううなりは地の〔以下原稿数枚分焼失〕

「今授業中だよ。やかましいやつだ。用があるならはいって来い。」とどなりましたので、学校の建物はぐらぐらしました。

　ネネムはそこで思い切って、なるべく足音を立てないように二階にあがってその教室にはいりました。教室の広いことはまるで野原です。さまざまの形、とうがらしや、臼（うす）や、鋏（はさみ）や、赤や白や、実にさまざまの学生のばけものがぎっしりです。向こうには大きな崖（がけ）のくらいある黒板がつるしてあって、せの高さ百尺あまりのさっきの先生のばけものが、講義をやって居（お）りました。

「それでその、もしも塩素が赤い色のものならば、これは最も明らかな不合理である。黄色でなくてはならん。して見ると黄色という事はずいぶん大切なもんだ。黄という字はこう書くのだ。」

　先生は黒板を向いて、両手や鼻や口や肱（ひじ）やカラアや髪（かみ）の毛やなにかで一ぺんに三百ばかり黄という字を書きました。生徒はみんな大急ぎで筆記帳に黄という字を一杯（いっぱい）に書きましたがとても先生のようにうまくは出来ません。

　ネネムはそっと一番うしろの席に座って、隣（とな）りの赤と白のまだらのばけもの学生に低くたずねました。

「ね、この先生は何て云（い）うんですか。」

「お前知らなかったのかい。フゥフィーボー博士さ。化学の。」とその赤いばけものは馬鹿にしたように目を光らせて答えました。

「あっ、そうでしたか。この先生ですか。名高い人なんですね。」とネネムはそっとつぶやきながら自分もふところから鉛筆と手帳を出して筆記をはじめました。

その時教室にパッと電燈がつきました。もう夕方だったのです。博士が向こうで叫んでいます。

「しからば何が故に夕方緑色が判然とするか。けだしこれはプウルウキインイイの現象によるのである。プウルウキインイイとはこう書く。」

博士はみみずのような横文字を一ぺんに三百ばかり書きました。ネネムも一生けん命書きました。それから博士は俄かに手を大きくひろげて

「げにも、かの天にありて濛々たる星雲、地にありてはあいまいたるばけ物律、これはこれ宇宙を支配す。」と云いながらテーブルの上に飛びあがって腕を組み堅く口を結んできっとあたりを見まわしました。

学生どもはみんな興奮して

「ブラボオ。フゥフィーボー先生。ブラボオ。」と叫んでそれからバタバタ、ノートを閉じました。ネネムもすっかり釣り込まれて、「ブラボオ。」と叫んで堅く堅く決心したように口を結びました。この時先生はやっとほんのすこうし笑って一段声を低くして云いました。

「みなさん。これからすぐ卒業試験にかかります。一人ずつ私の前をお通りなさい。」と云いました。

学生どもは、そこで一人ずつ順々に、先生の前を通りながらノートを開いて見せました。先生はそれを一寸見てそれから一言か二言質問をして、それから白墨でせなかに「及」とか「落」とか「同情及」とか「退校」とか書くのでした。

書かれる間学生はいかにもくすぐったそうに首をちぢめているのでした。書かれた学生は、いかにも気がかりらしく、そっと肩をすぼめて廊下まで出て、友達に読んで貰って、よろこんだり泣いたりするのでした。ぐんぐんぐんぐん、試験がすんで、いよいよネネム一人になりました。ネネムがノートを出した時、フゥフィーボー博士は大きなあくびをやりましたので、ノートはスポリと先生に吸い込まれてしまいました。先生はそれを別段気にかけるでもないらしく、コクッと呑んでしまって云いました。

「よろしい。ノートは大へんによく出来ている。そんなら問題を答えなさい。煙突から出るけむりには何種類あるか。」

「四種類あります。もしその種類を申しますならば、黒、白、青、無色です。」

「うん。無色の煙に気がついた所は、実にどうも偉い。そんなら形はどうであるか。」

「風のない時はたての棒、風の強い時は横の棒、その他はみみずなどの形。あまり煙の少ない時はコルク抜きのようにもなります。」

「よろしい。お前は今日の試験では一等だ。何か望みがあるなら云いなさい。」

「書記になりたいのです。」

「そうか。よろしい。わしの名刺に向こうの番地を書いてやるから、そこへすぐ今夜行きなさい。」

ネネムは名刺を呉(く)れるかと思って待っていますと、博士はいきなり白墨をとり直してネネムの胸に、「セム二十二号。」と書きました。

ネネムはよろこんで叮寧(ていねい)におじぎをして先生の処(ところ)から一足退きますと先生が低く、

「もう藁(わら)のオムレツが出来あがった頃(ころ)だな。」と呟(つぶや)いてテーブルの上にあった革(かわ)のカバンに白墨のかけらや講義の原稿(げんこう)やらを、みんな一緒(いっしょ)に投げ込んで、小脇(こわき)にかかえ、さっき顔を出した窓からホイッと向こうの向こうの黒い家をめがけて飛び出しました。そしてネネムはまちをこめた黄色の夕暮(ゆうぐれ)の中の物干台にフゥフィーボー博士が無事に到着(とうちゃく)して家の中に入って行くのをたしかに見ました。

そこでネネムは教室を出てはしご段を降りますと、そこには学生が実に沢山(たくさん)泣いていました。全く三千六百五十三回、則(すなわ)ち閏年(うるうどし)も入れて十年という間、日曜も夏休みもなしに落第ばかりしていては、これが泣かないでいられましょうか。けれどもネネムは全くそれとは違(ちが)います。

元気よく大学校の門を出て、自分の胸の番地を指さして通りかかったくらげのようなばけものに、どう行ったらいいかをたずねました。

するとそのばけものは、ひどく叮寧におじぎをして、

「ええ。それは世界裁判長のお邸(やしき)でございます。ここから二チェーンほどおいでになりますと、大きな粘土(ねんど)でかためた家がございます。すぐおわかりでございましょう。どうか私もよろしくお引き立てをねがいます。」と云って又(また)叮寧におじぎをしました。

ネネムはそこで一時間一ノット一チェーンの速さで、そちらへ進んで参りました。たちまち道の右側に、その粘土作りの大きな家がしゃんと立って、世界裁判長官邸と看板がかかって居りました。

「ご免なさい。ご免なさい。」とネネムは赤い髪を掻きながら云いました。

すると家の中からペタペタペタペタペタ沢山の沢山のばけものどもが出て参りました。

みんなまっ黒な長い服を着て、恭々しく礼をいたしました。

「私は大学校のフゥフィーボー先生のご紹介で参りましたが世界裁判長に一寸お目にかかれましょうか。」

するとみんなは口をそろえて云いました。

「それはあなたでございます。あなたがその裁判長でございます。」

「なるほど、そうですか。するとあなた方は何ですか。」

「私どもはあなたの部下です。判事や検事やなんかです。」

「そうですか。それでは私はここの主人ですね。」

「さようでございます。」

こんなような訳でペンネンネンネンネン・ネネムは一ぺんに世界裁判長になって、みんなに囲まれて裁判長室の海綿でこしらえた椅子にどっかりと座りました。

すると一人の判事が恭々しく申しました。

「今晩開廷の運びになっている件が二つございますが、いかがでございましょうお疲れでいらっしゃいましょうか。」

「いいや、よろしい。やります。しかし裁判の方針はどうですか。」

「はい。裁判の方針はこちらの世界の人民が向こうの世界になるべく顔を出さぬように致したいのでございます。」

「わかりました。それではすぐやります。」

ネネムはまっ白なちぢれ毛のかつらを被って黒い長い服を着て裁判室に出て行きました。部下がもう三十人ばかり席についています。

ネネムは正面の一番高い処に座りました。向こうの隅の小さな戸口から、ばけものの番兵に引っぱられて出て来たのはせいの高い眼の鋭い灰色のやつで、片手にほうきを持って居りました。

一人の検事が声高く書類を読み上げました。

「ザシキワラシ。二十二歳。アツレキ三十一年二月七日、表、日本岩手県上閉伊郡青笹村字瀬戸二十一番戸伊藤万太の宅、八畳座敷中に故なくして擅に出現して万太の長男千太、八歳を気絶せしめたる件。」

「よろしい。わかった。」とネネムの裁判長が云いました。

「姓名年齢、その通りに相違ないか。」

「相違ありません。」

「その方はアツレキ三十一年二月七日、伊藤万太方の八畳座敷に故なくして擅に出現したることは、しかとその通りに相違ないか。」

「全く相違ありません。」

「出現後は何を致した。」

「ザシキをザワッザワッと掃いて居りました。」

「何の為に掃いたのだ。」

「風を入れる為です。」

「よろしい。その点は実に公益である。本官に於て大いに同情を呈する。しかしながらすでに妄りに人の居ない座敷の中に出現して、箒の音を発した為に、その音に愕ろいて一寸のぞいて見た子供が気絶をしたとなれば、これは明らかな出現罪である。依って今日より七日間当ムムネ市の街路の掃除を命ずる。今後はばけもの世界長の許可なくして、妄りに向こう側に出現することはならん。」

「かしこまりました。ありがとうございます。」

「実に名断だね。どうも実に今度の長官は偉い。」と判事たちは互いにささやき合いました。

ザシキワラシはおじぎをしてよろこんで引っ込みました。

次に来たのは鳶色と白との粘土で顔をすっかり隈取って、口が耳まで裂けて、胸や足ははだかで、腰に厚い簑のようなものを巻いたばけものでした。一人の判事が書類を読みあげました。

「ウウウウエイ。三十五歳。アツレキ三十一年七月一日夜、表、アフリカ、コンゴオの林中の空地に於て故なくして擅に出現、舞踏中の土地人を恐怖散乱せしめたる件。」

「よろしい。わかった。」とネネムは云いました。

「姓名年齢その通りに相違ないか。」

「へい。その通りです。」

「その方はアツレキ三十一年七月一日夜、アフリカ、コンゴオの林中空地に於て、故なくして擅に出現、折柄月明によって歌舞、歓をなせる所の一群を恐怖散乱せしめたことは、しかとその通りにちがいないか。」

「全くその通りです。」

「よろしい。何の目的で出現したのだ。既に法律上故なく擅となってあるが、その方の意中を今一応尋ねよう。」

「へい。その実は、あまり面白かったもんですから。へい。どうも相済みません。あまり面白かったんで。ケロ、ケロ、ケロ、ケロロ、ケロ、ケロ。」

「控えろ。」

「へい。全くどうも相済みません。恐れ入りました。」

「うん。お前は、最明らかな出現罪である。依って明日より二十二日間、ムッセン街道の見まわりを命ずる。今後ばけもの世界長の許可なくして、妄りに向側に出現いたしてはならんぞ。」

「かしこまりました。ありがとうございます。」そのばけものも引っ込みました。

「実に名断だ。いい判決だね。」とみんなささやき合いました。その時向こうの窓がガタリと開いて
「どうだ、いい裁判長だろう。みんな感心したかい。」と云う声がしました。それはさっきの灰

色の一メートルある顔、フゥフィーボー先生でした。

「ブラボオ。フゥフィーボー博士。ブラボオ。」と判事も検事もみんな怒鳴りました。その時は
もう博士の顔は消えて窓はガタンとしまりました。

そこでネネムは自分の室に帰って白いちぢれ毛のかつらを除りました。それから寝ました。

あとはあしたのことです。

三、ペンネンネンネンネン・ネネムの巡視

ばけもの世界裁判長になったペンネンネンネンネン・ネネムは、次の朝六時に起きて、すぐ部
下の検事を一人呼びました。
「今日は何時に公判の運びになっているか。」
「本日もやはり晩の七時から二件だけございます。」
「そうか。よろしい。それでは今朝は八時から世界長に挨拶に出よう。それからすぐ巡視だ。み
んなその支度をしろ。」
「かしこまりました。」
そこでペンネンネンネンネン・ネネムは、燕麦を一把と、豆汁を二リットルで軽く朝飯をすま
して、それから三十人の部下をつれて世界長の官邸に行きました。
ばけもの世界長は、もう大広間の正面に座って待っています。世界長は身のたけ百九十尺もあ

る中世代の瑪瑙木(めのうぼく)でした。

　ペンネンネンネンネン・ネネムは、恭々(うやうや)しく進んで片膝(かたひざ)を床(ゆか)につけて頭を下げました。

「ペンネンネンネンネン・ネネム裁判長はおまえであるか。」

「さようでございます。永久に忠勤を誓(ちか)い奉(たてまつ)ります。」

「うん。しっかりやって呉(く)れ。ゆうべの裁判のことはもう聞いた。それに今朝はこれから巡視に出るそうだな。」

「はい。恐れ入ります。」

「よろしい。どうかしっかりやって呉れ。」

「かしこまりました。」

　そこでペンネンネンネンネン・ネネムは又(また)うやうやしく世界長に礼をして、後戻(あともど)りして退きました。三十人の部下はもう世界長の首尾がいいので大喜びです。

　ペンネンネンネンネン・ネネムも大機嫌(だいきげん)でそれから町を巡視しはじめました。

　ばけもの世界のヘンムンムンムンムン・ムムネ市の盛(さか)んなことは、今日とて少しも変りません。億百万のばけものどもは、通り過ぎ通りかかり、行きあい行き過ぎ、発生し消滅(しょうめつ)し、聯合(れんごう)し融合(ゆうごう)し、再現し進行し、それはそれは、実にどうも見事なもんです。ネネムもいまさらながら、つくづくと感服いたしました。

　その時向こうから、トッテントッテンテンテンと、チャリネルという楽器を叩(たた)いて、小さな赤い旗をたてた車が、ほんの少しずつこっちへやって来ました。見物のばけものがまるで赤山のようにそのまわりについて参ります。

　ペンネンネンネンネン・ネネムは、行きあいながらふと見ますと、その赤い旗には、白くフクジロと染め抜いてあって、その横にせいの高さ三尺ばかりの、顔がまるでじじいのように皺くちゃな殊に鼻が一尺ばかりもある怖い子供のようなものが、小さな半ずぼんをはいて立ち、車を引っ張っている黒い硬いばけものから、「フクジロ印」という商標のマッチを、五つばかり受け取っていました。ネネムは何をするのかと思ってもっと見ていますと、そのいやなものはマッチを持ってよちよち歩き出しました。

　赤山のようなばけものの見物は、わいわいそれについて行きます。一人の若いばけものが、うしろから押されてちょっとそのいやなものにさわりましたら、そのフクジロといういやなものはくるりと振り向いて、いきなりピシャリとその若ばけものの頬ぺたを撲りつけました。

　それからいやなものは向こうの荒物屋に行きました。その荒物屋というのは、ばけもの歯みがきや、ばけもの楊子や、手拭やずぼん、前掛などまで、すべてばけもの用具一式を売っているのでした。

　フクジロがよちよちはいって行きますと、荒物屋のおかみさんは、怖がって逃げようとしました。おかみさんだって顔がまるで獏のようで、立派なばけものでしたが、小さくてしわくちゃなフクジロを見ては、もうすっかりおびえあがってしまったのでした。

「おかみさん。フクジロ・マッチ買ってお呉れ。」

　おかみさんはやっと気を落ちつけて云いました。

「いくらですか。ひとつ。」

「十円。」

おかみさんは泣きそうになりました。

「さあ買ってお呉れ。買わなかったら踊(おど)りをやるぜ。」

「買います、買います。踊りの方はいりません。そら、十円。」

おかみさんは青くなってブルブルしながら銭函(ぜにばこ)からお金を集めて十円出しました。

「ありがとう。ヘン。」と云いながらそのいやなものは店を出ました。

そして今度は、となりのばけもの酒屋にはいりました。見物はわいわいついて行きます。酒屋のはげ頭のおじいさんばけものも、やっぱりぶるぶるしながら十円出しました。

その隣(となり)はタン屋という店でしたが、ここでも主人が黄色な顔を緑色にしてふるえながら、十円でマッチ一つ買いました。

「これはいかん。実にけしからん。こう云ういやなものが町の中を勝手に歩くということはおれの恥辱(ちじょく)だ。いいからひっくくってしまえ。」とペンネンネンネンネン・ネネムは部下の検事に命令しました。一人の検事がすぐ進んで行ってタン屋の店から出て来るばかりのそのいやなものをくるくる十重(とえ)ばかりにひっくくってしまいました。ペンネンネンネンネン・ネネムがみんなを押し分けて前に出て云いました。

「こら。その方(ほう)は自分の顔やかたちのいやなことをいいことにして、一つ一銭のマッチを十円ずつに家ごと押しつけてあるく。悪いやつだ。監獄(かんごく)に連れて行くからそう思え。」

するとそのいやなものは泣き出しました。

「巡査さん。それはひどいよ。僕はいくらお金を貰ったって自分で一銭もとりはしないんだ。みんな親方がしまってしまうんだよ。許してお呉れ。許してお呉れ。」

ネネムが云いました。

「そうか。するとお前は毎日ただ引っぱり廻されて稼がせられるだけだな。」

「そうだよ、そうだよ。僕を太夫さんだなんて云いながら、ひどい目にばかりあわすんだよ。ご飯さえ碌に呉れないんだよ。早く親方をつかまえてお呉れ。早く、早く。」今度はそのいやなものが俄かに元気を出しました。

そこで

「あの車のとこに居るものを引っくくれ。」とネネムが云いました。丁度出て来た巡査が三人ばかり飛んで行って、車にポカンと腰掛けて居た黒い硬いばけものを、くるくるくるっと縛ってしまいました。ネネムはいやなものと一緒にそっちへ行きました。

「こら。きさまはこんなかたわなあわれなものをだしにして、一銭のマッチを十円ずつに売っている。さあ監獄へ連れて行くぞ。」

親方が泣き出しそうになって口早に云いました。

「お役人さん。そいつぁあんまり無理ですぜ。わしぁ一日一杯あるいてますがやっと喰うだけしか貰わないんです。あとはみんな親方がとってしまうんです。」

「ふん、そうか。その親方はどこに居るんだ。」

「あすこに居ます。」

「どれだ。」

「あのまがり角でそらを向いてあくびをしている人です。」

「よし。あいつをしばれ。」まがり角の男は、しばられてびっくりして、口をパクパクやりました。ネネムは二人を連れてそっちへ歩いて行って云いました。

「こらきさまは悪いやつだ。何も文句を云うことはない。監獄にはいれ。」

「これはひどい。一体どうしたのです。ははあ、フクジロもタンイチもしばられたな。その事ならなあに私はただこうやって監督に云いつかって車を見ているだけでございます。私は日給三十銭の外に一銭だって貰やしません。」

「ふん。どうも実にいやな事件だ。よし、お前の監督はどこに居るか、云え。」

「向こうの電信柱の下で立ったまま居睡りをしているあの人です。」

「そうか。よろしい。向こうの電信ばしらの下のやつを縛れ。」巡査や検事がすぐ飛んで行こうとしました。その時ネネムは、ふともっと向こうを見ますと、大抵五間隔きぐらいに、あくびをしたりうでぐみをしたり、ぼんやり立っているものがまだまだたくさん続いています。そこでネネムが云いました。

「一寸待て。まだ向こうにも監督が沢山居るようだ。よろしい。順ぐりにみんなしばって来い。一番おしまいのやつを逃がすなよ。さあ行け。」

十人ばかりの検事と十人ばかりの巡査がふうとけむりのように向こうへ走って行きました。見る見る監督どもが、みんなペタペタしばられて十五分もたたないうちに三十人というばけものが一列にずうっとつづいてひっぱられて来ました。

「一番おしまいのやつはこいつか。」とネネムが緑色の大へんハイカラなばけものをゆびさしました。

「そうです。」みんなは声をそろえて云います。

「よろしい。こら。その方は、あんなあわれなかたわを使って一銭のマッチを十円に売っているとは一体どう云うわけだ。それに三十二人も人を使って、あくまで自分の悪いことをかくそうとは実にけしからん。さあどうだ。」

　ところが緑色のハイカラなばけものは口を尖らして、一向恐れ入りません。

「これはけしからん。私はそんなことをした覚えはない。私は百二十年前にこの方に九円だけ貸しがあるので今はもう五千何円になっている。わしはこの方のあとをつけて歩いて毎日、日プで三十円ずつとる商売なんだ。」と云いながら自分の前のまっ赤なハイカラなばけものを指さしました。

　するとその赤色のハイカラが云いました。

「その通りだ。私はこの人に毎日三十円ずつ払う。払っても払っても元金は殖えるばかりだ。それはとにかく私は又この前のお方に百四十年前に非常な貸しがあるのでそれをもとでに毎日この人について歩いて実は五十円ずつとっているのだ。マッチの罪とかなんとか一向私はしらない。」と云いながら自分の前の青い色のハイカラなばけものを指さしました。すると青いのが云いました。

「その通りだ。わしは毎日五十円ずつ払う。そしてわしはこの前のお方に二百年前かなりの貸しがあるのでそれをもとでに毎日ついて歩いて百円ずつとるだけなのだ。」

指されたその前の黄色なハイカラが云いました。

「そうだ。その通りだ。そしてわしはこの前のお方に昔すてきなかしがあるので、毎日ついて歩いて三百円ずつとるのだ。」

「ふうん。大分わかって来たぞ。あとはもう貸した年と今とる金だかだけを云え。」とネネムが申しました。

「二百五十年、五百円」「三百年、千円」「三百一年、千七円」「三百二年、千八円」「三百三年、千九円」「三百四年、千十円。」

ネネムはすばやく勘定しました。

「もうわかった。第三十番。電信柱の下の立ちねむり。おまえは千三十円とっているだろう。」

「全くさようでございます。ご明察恐れ入ります。」

その時さっきの角のところに立って、あくびをしていた監督が云いました。

「どうです。そうでしょう。私は毎日千三十円三十銭だけとって、千三十円だけこの人に納めるのです。」

ネネムが云いました。

「そうか。すると一体誰がフクジロを使って歩かせているのだ。」

「私にはわかりません。私にはわかりません。」とみんなが一度に云いました。そこでネネムも一寸困りましたがしばらくたってから申しました。

「よし。そんならフクジロのマッチを売っていることを知っているものは手をあげ。」

硬い黒いタンイチはじめ順ぐりに十人だけ手をあげました。

「よろしい。すると十人目の貴さまが一番悪い。監獄にはいれ。」

「いいえ。どういたしまして。私はただフクジロのマッチを売っていることを遠くから見ているだけでございます。それを十円に売るなんて、めっそうな、私は一向に存じません。」

「どうもこれはずいぶん不愉快な事件だね。よろしい。そんならフクジロがマッチを十円で売るということを知っているものは手をあげ。」

硬い黒いタンイチからただ三人でした。

「するとお前だ。監獄にはいれ。」とネネムが云いました。

「それはさっきも申しあげました。私はただ命令で見ていただけです。」

「するとお前は十円に売ることは知っている、けれどもただ云いつかっているだけだというのだな、それから次のお前は云いつけてはいる。けれども十円に売れなんて云ったおぼえもなし又十円に売っているとも思わない、ただまあ、フクジロがよちよち家を出たりはいったりして、それでよくこんなにもうかるもんだと思っていたと、こうだろう。」

「全くご明察の通り。」と二人が一緒に云いました。

「よろしい。もうわかった。お前がたに云い渡す。これは順ぐりに悪いことがたまって来ているのだ。百年も二百年もの前に貸した金の利息を、そんなハイカラななりをして、毎日ついてあるいてとるということは、けしからん。殊にそれが三十人も続いているというのは実にいけないことだ。おまえたちはあくびをしたりいねむりをしたりしながら毎日を暮して食事の時間だけすぐ近くの料理屋にはいる、それから急いで出て来て前の者がまだあまり遠くへ行っていないのを見てやっと安心するなんという実にどうも不届きだ。それからおれがもうけるんじゃないと云うので、悪いことをぐんぐんやるのもあまりよくない。だからみんな悪い。みんなを罪にしなければならない。けれどもそれではあんまりかあいそうだから、どうだ、みんな一ぺんに今の仕事をやめてしまえ。そこでフクジロはおれがどこかの玩具の工場の小さな室で、ただ一人仕事をして、時々お菓子でもたべられるようにしてやろう。あとのものはみんな頑丈そうだから自分で勝手に仕事をさがせ。もしどうしても自分でさがせなかったらおれの所に相談に来い。」

「かしこまりました。ありがとうございます。」みんなはフクジロをのこして赤山のような人をわけてちりぢりに逃げてしまいました。そこでネネムは一人の検事をつけてフクジロを張子の虎をこさえる工場へ送りました。

見物人はよろこんで、

「えらい裁判長だ。えらい裁判長だ。」とときの声をあげました。そこでネネムは又巡視をはじめました。

それから少し行きますと通りの右側に大きな泥でかためた家があって世界警察長官邸と看板が出て居りました。

「一寸はいって見よう。」と云いながらネネムは玄関に立ちました。その家中が俄かにザワザワしてそれから警察長がさきに立って案内しました。一通り中の設備を見てからネネムは警察長と向かい合って一つのテーブルに座りました。警察長は新聞のくらいある名刺を出してひろげてネネムに恭々しくよこしました。見ると、

ケンケンケンケンケンケンケン・クエク警察長

と書いてあります。ネネムは

「はてな、クエクと、どうも聞いたような名だ。一寸突然ですがあなたはこの近在の農家のご出身ですか。」と云いました。

するとと警察長はびっくりしたらしく、

「全くご明察の通りです。」と答えました。

「それではあなたは無断で家から逃げておいでになりましたね。お母さんが大へん泣いておいでですよ。」とネネムが云いました。

「いや、全く。実は昨晩も電報を打ちましたようなわけで、実はその、逃げたというわけでもありません。丁度一昨昨日の朝、一寸した用事で家から大学校の小使室まで参りましたのですが、ついそのフゥフィーボー博士の講義につり込まれまして昨日まで三日というもの、聴いたり落第したり、考えたりいたしました。昨晩やっと及第いたしましてこちらに赴任いたしました。」

「ハッハッハ。そうですか。それは結構でした。もう電報をおかけでしたか。」

「はい。」

そこでネネムも全く感服してそれから警察長の家を出てそれから又グルグルグルグル巡視をして、おひるごろ、ばけもの世界裁判長の官邸に帰りました。おひるのごちそうは藁のオムレツでした。

四、ペンネンネンネンネン・ネネムの安心

ばけもの世界裁判長、ペンネンネンネンネン・ネネムの評判は、今はもう非常なものになりました。この世界が、はじめ一疋のみじんこから、だんだん枝がついたり、足が出来たりして発達しはじめて以来、こんな名判官は実にはじめてだとみんなが申しました。シャァロンというばけものの高利貸でさえ、ああ実にペンネンネンネンネン・ネネムさまは名判官だ、ダニーさまの再来だ、いやダニーさまの発達だとほめた位です。

ばけもの世界長からは、毎日一つずつ位をつけて来ましたし、勲章を贈ってよこしましたので、今はその位を読みあげるだけに二時間かかり、勲章はネネムの室の壁一杯になりました。それですから、何かの儀式でネネムが式辞を読んだりするときは、その位を読むのがつらいので、それをあらかじめ三十に分けて置いて、三十人の部下に一ぺんにがやがやと読み上げて貰うようにしていましたが、それでさえやはり四分はかかりました。勲章だってその通りです。どうしてネネムの胸につけ切れるもんではありませんでしたから、ネネムの大礼服の上着は、胸の処から長さ三十米ばかりの切れがずうと続いて、それに勲章をぞろっとつけて、その帯のようなものを、三

十人の部下の人たちがぞろぞろ持って行くのでした。さてネネムは、この様な大へんな名誉(めいよ)を得て、そのほかに、みなさんももうご存知でしょうが、フゥフィーボー博士(はかせ)のほかに、誰(たれ)も決して喰(た)べてならない藁(わら)のオムレツまで、ネネムは喰べることを許されていました。それですから、誰が考えてもこんな幸福なことがない筈(はず)だったのですが、実はネネムは一向面白(いっこうおもしろ)くありませんでした。それというのは、あのネネムが八つの飢饉(ききん)の年、お菓子(かし)の籠(かご)に入れられて、「おおホイホイ、おおホイホイ。」と云(い)いながらさらって行かれたネネムの妹のマミミのことが、一寸(ちょっと)も頭から離れなかった為(ため)です。

　そこでネネムは、ある日、テーブルの上の鈴(リン)をチチンと鳴らして、部下の検事を一人、呼びました。

「一寸君にたずねたいことがあるのだが。」

「何でございますか。」

「膝(ひざ)やかかとの骨の、まだ堅(かた)まらない小さな女の子をつかう商売は、一体どんな商売だろう。」

　検事はしばらく考えてから答えました。

「それはばけもの奇術(きじゅつ)でございましょう。ばけもの奇術師が、よく十二三位までの女の子を、変身術だと申して、ええこんどは犬の形、ええ今度は兎(うさぎ)の形などと、ばけものをしんこ細工のように延ばしたり円(まる)めたり、耳を附(つ)けたり又(また)とったり致(いた)すのをよく見受けます。」

「そうか。そして、そんなやつらは一体世界中に何人位あるのかな。」

「左様(さよう)。一昨年の調べでは、奇術を職業にしますものは、五十九人となって居(お)りますが、只今(ただいま)は大分減ったかと存ぜられます。」

「そうか。どうもそんなしんこ細工のようなことをするというのは、この世界がまだなめくじでできていたころの遺風だ。一寸視察に出よう。事によると禁止をしなければなるまい。」

そこでネネムは、部下の検事を随えて、今日もまちへ出ました。そして検事の案内で、まっすぐに奇術大一座のある処に参りました。奇術は今や丁度まっ最中です。

ネネムは、検事と一緒に中へはいりました。楽隊が盛んにやっています。ギラギラする鋼の小手だけつけた青と白との二人のばけものが、電気決闘というものをやっているのでした。剣がカチャンカチャンと云うたびに、青い火花が、まるで箒のように剣から出て、二人の顔を物凄く照らし、見物のものはみんなはらはらしていました。

「仲々勇壮だね。」とネネムは云いました。

そのうちにとうとう、一人はバアと音がして肩から胸から腰へかけてすっぽりと斬られて、からだがまっ二つに分れ、バランチャンと床に倒れてしまいました。

斬った方は肩を怒らせて、三べん刀を高くふり廻し、紫色の烈しい火花を揚げて、楽屋へはいって行きました。

すると倒れた方のまっ二つになったからだがバタッと又一つになって、見る見る傷口がすっかりくっつき、ゲラゲラゲラッと笑って起きあがりました。そして頭をほんのすこし下げてお辞儀をして、

「まだ傷口がよくくっつきませんから、粗末なおじぎでごめんなさい。」と云いながら、又ゲラ

ゲラゲラッと笑って、これも楽屋へはいって行きました。

　ボロン、ボロン、ボロロン、とどらが鳴りました。一つの白いきれを掛けた卓子と、椅子とが持ち出されました。眼のまわりをまっ黒に塗った若いばけものが、わざと少し口を尖らして、テーブルに座りました。白い前掛をつけたばけものの給仕が、さしわたし四尺ばかりあるまっ白の皿を、恭々しく持って来て卓子の上に置きました。

「フォーク！」と椅子にかけた若ばけものがテーブルを叩きつけてどなりました。

「へい。これはとんだ無調法を致しました。ただ今、すぐ持って参ります。」と云いながら、その給仕は二尺ばかりあるホークを持って参りました。

「ナイフ！」と又若ばけものはテーブルを叩いてどなりました。

「へい。これはとんだ無調法を致しました。ただ今、すぐ持って参ります。」と云いながらその給仕は、幕のうしろにはいって行って、長さ二尺ばかりあるナイフを持って参りました。ところがそのナイフをテーブルの上に置きますと、すぐ刃がくにゃんとまがってしまいました。

「だめだ、こんなもの。」とその椅子にかけたばけものは、ナイフを床に投げつけました。

　ナイフはひらひらと床に落ちて、パッと赤い火に燃えあがって消えてしまいました。

「へい。これは無調法致しました。ただ今のはナイフの広告でございました。本物のいいのを持って参ります。」と云いながら給仕は引っ込んで行きました。

　するとどうもネネムも検事もだれもかれもみんな愕いてしまったことは、いつの間にか、どうして出て来たのか、すてきに大きな青いばけものがテーブルに置かれた皿の上に、あぐらをかいて、椅子に座った若ばけものを見おろしてすまし込んでいるのでした。青いばけものは、しずかにみんなの方を向きました。眼のまわりがまっ赤です。俄かに見物がどっと叫びました。

「テン・テンテンテン・テジマア！　うまいぞ。」

「ほう、素敵だぞ。テジマア！」

　テジマアと呼ばれた皿の上の大きなばけものは、顔をしずかに又廻して、椅子に座ったわかばけものの方を向きました。そして二人はまるで二匹の獅子のように、じっとにらみ合いました。見物はもうみんな総立ちです。

「テジマア！　負けるな。しっかりやれ。」

「しっかりやれ。テジマア！　負けると食われるぞ。」こんなような大さわぎのあとで、こんどはひっそりとなりました。そのうちに椅子に座った若ばけものは眼が痛くなったらしく、とうとうまばたきを一つやりました。皿の上のテジマアはじりじりと顔をそっちへ寄せて行きます。若ばけものは又五つばかりつづけてまばたきをして、とうとうたまらなくなったと見えて、両手で眼を覆いました。皿の上のテジマアは落ちついてにゅうと顔を差し出しました。若ばけものは、がたりと椅子から落ちました。テジマアはすっくりと皿の上に立ちあがって、それからひらりと皿をはね下りて、自分が椅子にどっかり座りそれから床の上に倒れている若ばけものを、雑作もなく皿の上につまみ上げました。

　その時給仕が、たしかに金でできたらしいナイフを持って来て、テーブルの上に置きました。テジマアは一寸うなずいて、ポッケットから財布を出し、半紙判の紙幣を一枚引っぱり出して給仕にそれを握(にぎ)らせました。

「今度の旦那(だんな)は気前が実にいいなあ。」とつぶやきながら、ばけもの給仕は幕の中にはいって行きました。そこでテジマアは、ナイフをとり上げて皿の上のばけものを、もにゃもにゃもにゃもにゃっと切って、ホークに刺(さ)して、むにゃむにゃむにゃっと喰(く)ってしまいました。

その時「バア」と声がして、その食われた筈(はず)の若ばけものが、床(ゆか)の下から躍(おど)りだしました。

「君よくたっしゃで居て呉(く)れたね。」と云(い)いながら、テジマアはそのわかばけものの手を取って、五六ぺんぶらぶら振(ふ)りました。

「テジマア、テジマア!」

「うまいぞ、テジマア!」みんなはどっとはやしました。

舞台(ぶたい)の上の二人は、手を握ったまま、ふいっとおじぎをして、それから、

「バラコック、バララゲ、ボラン、ボラン、ボラン」と変な歌を高く歌いながら、幕の中に引っ込(こ)んで行きました。

ボロン、ボロン、ボロロンと、どらが又(また)鳴りました。

舞台が月光のようにさっと青くなりました。それからだんだんのんびりしたいかにも春らしい桃色(ももいろ)に変りました。

まっ黒な着物を着たばけものが右左から十人ばかり大きなシャベルを持ったりきらきらするフォークをかついだりして出て来て

「おキレの角(つの)はカンカンカン

ばけもの麦はベランベランベラン
ひばり、チッチクチッチクチー
フォークのひかりはサンサンサン。」
とばけもの世界の農業の歌を歌いながら畑を耕したり種子(たね)を蒔(ま)いたりするようなまねをはじめました。たちまち床からベランベランベランと大きな緑色のばけもの麦の木が生(は)え出して見る間に立派な茶色の穂(ほ)を出し小さな白い花をつけました。舞台は燃えるように赤く光りました。

「おキレの角はケンケンケン
ばけもの麦はザランザララ
とんびトーロロトーロロトー、
鎌(かま)のひかりは　シンシンシンシン。」
とみんなは足踏(あしぶ)みをして歌いました。たちまち穂は立派な実になって頭をずうっと垂れました。黒いきもののばけものどもはいつの間にか大きな鎌を持っていてそれをサクサク刈(か)りはじめました。歌いながら踊(おど)りながら刈りました。見る見る麦の束は山のように舞台のまん中に積みあげられました。

「おキレの角はクンクンクン
ばけもの麦はザック、ザック、ザ、
からすカーララ、カーララ、カー、
唐箕(とうみ)のうなりはフウララフウ。」

みんなはいつの間にか棒を持っていました。そして麦束はポンポン叩かれたと思うと、もうみんな粒が落ちていました。麦稈は青いほのおをあげてめらめらと燃え、あとには黄色な麦粒の小山が残りました。みんなはいつの間にかそれを搾臼にかけていました。大きな唐箕がもう据えつけられてフウフウフウと廻っていました。

舞台が俄かにすきとおるような黄金色になりました。立派なひまわりの花がうしろの方にぞろりとならんで光っています。それから青や紺や黄やいろいろの色硝子でこしらえた羽虫が波になったり渦巻になったりきらきらきらきら飛びめぐりました。

うしろのまっ黒なびろうどの幕が両方にさっと開いて顔の紺色な髪の火のようなきれいな女の子がまっ白なひらひらしたきものに宝石を一杯につけてまるで青や黄色のほのおのように踊って飛び出しました。見物はもうみんなきちがい鯨のような声で

「ケテン！　ケテン！」とどなりました。

女の子は笑ってうなずいてみんなに挨拶を返しながら舞台の前の方へ出て来ました。

黒いばけものはみんなで麦の粒をつかみました。

女の子も五六つぶそれをつまんでみんなの方に投げました。それが落ちて来たときはみんなまっ白な真珠に変わっていました。

「さあ、投げ。」と云いながら十人の黒いばけものがみな真似をして投げました。バラバラバラバラ真珠の雨は見物の頭に落ちて来ました。

女の子は笑って何かかすかに呪いのような歌をやりながらみんなを指図しています。

ペンネンネンネンネン・ネネムはその女の子の顔をじっと見ました。たしかにたしかにそれこそは妹のペンネンネンネンネン・マミミだったのです。ネネムはとうとう堪え兼ねて高く叫びました。

「マミミ。マミミ。おれだよ。ネネムだよ。」女の子はぎょっとしたようにネネムの方を見ました。それから何か叫んだようでしたが声がかすれてこっちまで届きませんでした。ネネムは又叫びました。

「おれだ。ネネムだ。」

マミミはまるで頭から足から火がついたようにはねあがって舞台から飛び下りようとしましたら、黒い助手のばけものどもが麦をなげるのをやめてばらばら走って来てしっかりと押さえました。

「マミミ。おれだ。ネネムだよ。」ネネムは舞台へはねあがりました。

幕のうしろからさっきのテジマアが黄色なゆるいガウンのようなものを着ていかにも落ち着いて出て参りました。

「さわがしいな。どうしたんだ。はてな。このお方はどうして舞台へおあがりになったのかな。」

ネネムはその顔をじっと見ました。それこそはあの飢饉の年マミミをさらった黒い男でした。

「黙れ。忘れたか。おれはあの飢饉の年の森の中の子供だぞ。そしておれは今は世界裁判長だぞ。」

「それは大へんよろしい。それだからわしもあの時男の子は強いし大丈夫だと云ったのだ。女の子の方は見ろ。この位立派になっている。もうスタアと云うものになってるぞ。お前も裁判長ならよく裁判して礼をよこせ。」

「しかしお前は何故しんこ細工を興業するか。」

「いや。いやいややや。それは実に野蛮の遺風だな。この世界がまだなめくじでできていたころの遺風だ。」

「するとお前の処じゃしんこ細工の興業はやらんな。」

「勿論さ。おれのとこのはみんな美学にかなっている。」

「いや。お前は偉い。それではマミミを返して呉れ。」

「いいとも。連れて行きなさい。けれども本人が望みならまた寄越して呉れ。」

「うん。」

どうです。とうとうこんな変なことになりました。これというのもテジマアのばけもの格が高いからです。

とにかくそこでペンネンネンネンネン・ネネムはすっかり安心しました。

五、ペンネンネンネンネン・ネネムの出現

ペンネンネンネンネン・ネネムは独立もしましたし、立身もしましたし、巡視もしましたし、すっかり安心もしましたから、だんだんからだも肥り声も大へん重くなりました。

大抵の裁判はネネムが出て行って、どしりと椅子にすわって物を云おうと一寸唇をうごかしますと、もうちゃんときまってしまうのでした。

さて、ある日曜日、ペンネンネンネンネン・ネネムは三十人の部下をつれて、銀色の袍をひるがえしながら丘へ行きました。

クラレという百合のような花が、まっ白にまぶしく光って、丘にもはざまにもいちめん咲いて居りました。ネネムは草に座って、つくづくとまっ青な空を見あげました。

部下の判事や検事たちが、その両側からぐるっと環になってならびました。

「どうだい。いい天気じゃないか。

ここへ来て見るとわれわれの世界もずいぶんしずかだね。」ネネムが云いました。

みんなの影法師が草にまっ黒に落ちました。

「ちかごろは噴火もありませんし、地震もありませんし、どうも空は青い一方ですな。」

判事たちの中で一番位の高いまっ赤な、ばけものが云いました。

「そうだね全くそうだ。しかし昨日サンムトリが大分鳴ったそうじゃないか。」

「ええ新報に出て居りました。サンムトリというのはあれですか。」

二番目にえらい判事が向こうの青く光る三角な山を指しました。

「うん。そうさ。僕の計算によると、どうしても近いうちに噴き出さないといかんのだがな。何せ、サンムトリの底の瓦斯の圧力が九十億気圧以上になってるんだ。それにサンムトリの一番弱い所は、八十億気圧にしか耐えない筈なんだ。それに噴火をやらんというのはおかしいじゃないか。僕の計算にまちがいがあるとはどうもそう思えんね。」

「ええ。」

上席判事やみんなが一緒にうなずきました。その時向こうのサンムトリの青い光がぐらぐらっとゆれました。それからよこの方へ少しまがったように見えましたが、忽ち山が水瓜を割ったようにまっ二つに開き、黄色や褐色の煙がぷうっと高く高く噴きあげました。それから黄金色の熔岩がきらきらきらと流れ出して見る間にずっと扇形にひろがりました。見ていたものは
「ああやったやった。」

とそっちに手を延ばして高く叫びました。

「やったやった。とうとう噴いた。」

とペンネンネンネンネン・ネネムはけだかい紺青色にかがやいてしずかに云いました。

その時はじめて地面がぐらぐらぐら、波のようにゆれ
「ガーン、ドロドロドロドロドロ、ノンノンノンノン。」と耳もやぶれるばかりの音がやって来ました。それから風がどうっと吹いて行って忽ちサンムトリの煙は向こうの方へ曲がり空はますます青くクラレの花はさんさんとかがやきました。上席判事が言いました。

「裁判長はどうも実に偉い。今や地殻までが裁判長の神聖な裁断に服するのだ。」

二番目の判事が言いました。

「実にペンネンネンネンネン・ネネム裁判長は超怪である。私はニイチャの哲学が恐らくは裁判

長から暗示を受けているものであることを主張する。」
　みんなが一度に叫びました。
「ブラボオ、ネネム裁判長。ブラボオ、ネネム裁判長。」
　ネネムはしずかに笑って居りました。その得意な顔はまるで青空よりもかがやき、上等の瑠璃よりも冴えました。そればかりでなく、みんなのブラボオの声は高く天地にひびき、地殻がノンノンノンノンとゆれ、やがてその波がサンムトリに届いたころ、サンムトリがその影響を受けて火柱高く第二回の爆発をやりました。
「ガーン、ドロドロドロドロ、ノンノンノンノンノン。」
　それから風がどうっと吹いて行って、火山弾や熱い灰やすべてあぶないものがこの立派なネネムの方に落ちて来ないように山の向こうの方へ追い払ったのでした。ネネムはこの時は正によろこびの絶頂でした。とうとう立ちあがって高く歌いました。
「おれは昔は森の中の昆布取り、
　その昆布網が空にひろがったとき
　風の中のふかやさめがつきあたり
　おれの手がぐらぐらとゆれたのだ。
　おれはフウフィーヴオ博士の弟子
　博士はおれの出した筆記帳を

あくびと一しょにスポリと呑みこんだ。

それから博士は窓から飛んで出た。

おれはむかし奇術師のテジマアに
おれの妹をさらわれていた。
その奇術師のテジマアのところで
おれの妹はスタアになっていた。

いまではおれは勲章が百ダアス
藁のオムレツもうたべあきた。
おれの裁断には地殻も服する
サンムトリさえ西瓜のように割れたのだ。」

さあ三十人の部下の判事と検事はすっかりつり込まれて一緒に立ち上がって、

「ブラボオ、ペンネンネンネンネン・ネネム
ブラボオ、ペンペンペンペンペン・ペネム。」

と叫びながら踊りはじめました。

「フィーガロ、フィガロト、フィガロット。」

クラレの花がきらきら光り、クラレの茎がパチンパチンと折れ、みんなの影法師はまるで戦のように乱れて動きました。向こうではサンムトリが第三回の爆発をやっています。
「ガアン、ドロドロドロドロ、ノンノンノンノン。」
黄金の熔岩、まっ黒なけむり。
「フィーガロ、フィガロト、フィガロット。
ペンネンネンネンネン・ネネム裁判長
その威オキレの金角とならび
まひるクラレの花の丘に立ち
遠い青びかりのサンムトリに命令する。

青びかりの三角のサンムトリが
たちまち火柱を空にささげる。
風が来てクラレの花がひかり
ペンネンネンネンネン・ネネムは高く笑う。
　ブラボオ。ペンネンネンネンネン・ネネム
　ブラボオ、ペンペンペンペンペン・ペネム。」
その時サンムトリが丁度第四回の爆発をやりました。
「ガアン、ドロドロドロドロ、ノンノンノンノン。」

ネネムをはじめばけものの検事も判事もみんな夢中になって歌ってはねて踊りました。
「フィーガロ、フィガロト、フィガロット。
風が青ぞらを吼えて行けば
そのなごりが地面に下って
クラレの花がさんさんと光り
おれたちの袍はひるがえる。
さっきかけて行った風が
いまサンムトリに届いたのだ。
そのまっ黒なけむりの柱が
向こうの方に倒れて行く。
フィーガロ、フィガロト、フィガロット。
　ブラボオ、ペンネンネンネンネン・ネネム
　ブラボオ、ペンペンペンペンペン・ペネム。

おれたちの叫び声は地面をゆすり
その波は一分に二十五ノット
サンムトリの熱い岩漿にとどいて
とうとうも一度爆発をやった。

　フィーガロ、フィガロト、フィガロット。
　フィーガロ、フィガロト、フィガロット。」

　ネネムは踊ってあばれてどなって笑ってはせまわりました。

　その時どうしたはずみか、足が少し悪い方へそれました。

　悪い方というのはクラレの花の咲いたばけもの世界の野原の一寸うしろのあたり、うしろと言うよりは少し前の方でそれは人間の世界なのでした。

「あっ。裁判長がしくじった。」

と誰かがけたたましく叫んでいるようでしたが、ネネムはもう頭がカアンと鳴ったまままっ黒なガツガツした岩の上に立っていました。

　すぐ前には本当に夢のような細い細い路が灰色の苔の中をふらふらと通っているのでした。そらがまっ白でずうっと高く、うしろの方はけわしい坂で、それも間もなくいちめんのまっ白な雲の中に消えていました。

　どこにたった今歌っていたあのばけもの世界のクラレの花の咲いた野原があったでしょう。実にそれはネパールの国からチベットへ入る峠の頂だったのです。

　ネネムのすぐ前に三本の竿が立ってその上に細長い紐のようなぼろ切れが沢山結び付けられ、風にパタパタパタパタパタ鳴っていました。

　ネネムはそれを見て思わずぞっとしました。

　それこそはたびたび聞いた西蔵の魔除けの幡なのでした。ネネムは逃げ出しました。まっ黒なけわしい岩の峯(みね)の上をどこまでもどこまでも逃(に)げました。

ところがすぐ向こうから二人の巡礼(じゅんれい)が細い声で歌を歌いながらやって参ります。ネネムはあわててバタバタバタバタもがきました。何とかして早くばけもの世界に戻(もど)ろうとしたのです。巡礼(じゅんれい)たちは早くもネネムを見つけました。そしてびっくりして地にひれふして何だかわけのわからない呪文(じゅもん)をとなえ出しました。

ネネムはまるでからだがしびれて来ました。そしてだんだん気が遠くなってとうとうガーンと気絶してしまいました。

ガーン。

それからしばらくたってネネムはすぐ耳のところで

「裁判長。裁判長。しっかりなさい。裁判長。」という声を聞きました。おどろいて眼(め)を開いて見るとそこはさっきのクラレの野原でした。

三十人の部下たちがまわりに集まって実に心配そうにしています。

「ああ僕(ぼく)はどうしたんだろう。」

「只今(ただいま)空から落ちておいでてございました。ご気分はいかがですか。」

上席判事が尋(たず)ねました。

「ああ、ありがとう。もうどうもない。しかしとうとう僕は出現してしまった。

僕は今日は自分を裁判しなければならない。

ああ僕は辞職しよう。それからあしたから百日、ばけものの大学校の掃除(そうじ)をしよう。ああ、何もかにもおしまいだ。」

ネネムは思わず泣きました。三十人の部下も一緒に大声で泣きました。その声はノンノンノンノンと地面に波をたて、それが向こうのサンムトリに届いたころサンムトリが赤い火柱をあげて第五回の爆発をやりました。

「ガアン、ドロドロドロドロドロ。」

風がどっと吹いて折れたクラレの花がプルプルとゆれました。〔以下原稿なし〕

「旅人のはなし」から

「たびびとのはなし」から

ずっと前に、私はある旅人の話を読みました。書いた人も本の名前も忘れましたが、とにかく、その旅人は永い永い間、旅を続けていました。今頃もきっとどこかを、どこかで買った、洋傘を引きずって歩いているのでしょう。今思い出したくらい、その、はなしを書きます、事によったら、いつのまにか他の本のはなしも雑っているのでしょう。

ある時、その旅人は一人の道づれと歩いて、いました、よく晴れた日で、二人の瞳の中には空や、山や、木や道やが奇麗に、さかさまに、写っていました。道づれの旅人が黙っているので、この旅人も黙って歩いていました、ふと鴨が一疋、飛んで過ぎました、道づれの旅人は

「あれは何でございましょうか。」とききました、

「鴨です」となんの気もなく旅人も答えました、

「どこへ行ったでしょう。」

「飛んで行ったじゃ、ございませんか。」

道連れの旅人は手をのばして、この旅人の鼻をギッとひねりました、旅人はびっくりするひまもなく、「ア痛ッ」とか何とか叫びました、

そしたら道連れの旅人が申しました、
「飛んで行ったもんかい」旅人は、はっと気がつきました、それでも、も少し旅をしなければ、ならないと思いました、多分そうでしょう。

旅人は、それよりも前に、ある支那の南部の町に参りました、非常に暑い日で、ございました、自分の影法師を見ながら歩いてふと空を見上げますと青空に大きな白い自分の影法師が立っていました、みなさんもそんな事に会ったでしょう。町の真ん中の広い道はただ、この旅人一人が歩いていました、その時、向こうからガランガランと大きな音がします、見ますとそれは汚ない乞食坊主でした、大きな鈴を振って歩いているのです、口の無暗に大きな男で眼玉はギラギラと光っていました、その晩旅人は宿屋で、あした町はずれの小山で面白い事があると云う事を、ききました、翌日旅人はそこに行って沢山の見物人と一所に立っていました、そこへ昨日の乞食が例の大きな鈴を鳴らして向こうから来ました、みんなはがやがや云いました、乞食は木で作った箱の様なものを持ち出して、その中へ入りました、蓋も誰かがしたでしょう、暫らくの間、みんなで、しんとして見ていました、何もありませんでした、みんな少しがやがや云いました、その時空中にガランガランと昨日の鈴の音が烈しくしてやみました、みんな初めは青くなっていましたが、とうとうその箱の蓋を開いて見ましたが、もはや何も居ませんでした、

旅人はある時、「戦争と平和」と云う国へ遊びに参りました、そこで彼はナタアシアやプリンスアンドレイやに会いました、悲しみやら喜びやらの永い芝居を見てしまって最早この国を出ようとするとき六かしい顔をしてその国の王様が逐いかけて参りました、

「オイオイ、君は私の本当の名前を知っているか。」と申しながら一層こみ入った様な顔してその王様はくるりと後ろを向いて行きました、

旅人は行く先々で友達を得ました、又それに、はなれました、それはそれは随分遠くへ離れてしまった人もありました、旅人は旅の忙しさに大抵は忘れてしまいましたが時々は朝の顔を洗うときや、ぬかるみから足を引き上げる時などに、この人たちを思い出して泪ぐみました、どうしたとてその友だちの居る所へ二度と行かれましょうか、二つの抛物線とか云う様なものでしょう、

旅人はあるときは、すっかりやつれて東京で買った白い帽子も服も土に染められ髪は延びはて、靴のかかとは無くなったときもありました、それでも又イタリヤのサンタリスク先生の所へ御客になって暫らく留まり、ここを出る時は新しい旅人の形になるのでした。

旅人は決して一年一ぱい歩いているのでもありませんでした、王様のない国へ行っては王様に二年半ばかりなったり、ひどい王様の国へ行っては、王様の詩を朗読しなさるときに菓子を喰べていたと云う罪で、火あぶりになる筈の子供の代わりになって死んだり致しました、さてさて永い旅でございました、この多感な旅人は旅の間に沢山の恋を致しました、女をも男をも、あるときは木を恋したり、何としたわけ合いやら指導標の処へ行って恭しく帽子を取ったり、けれども、とうとう旅の終わりが近づきました。旅の終わりとは申すものの、それはこの様なやはり旅の一部分でございました、
あるとき一つの御城に参りました、その御城の立派なことは何にたとえましょうか　道ばたに咲

いているクローバアの小さな一つの蝶形花冠よりもまた美しいのでした。年老った王様が、ここに居りました、その国の広い事、人民の富んでいる事、この国には生存競争などと申す様なつまらない競争もなく労働者対資本家などという様な頭の病める問題もなく総てが楽しみ総てが悦び総てが真であり善である国でありました、決して喜びながら心の底で悲しむ様な変な人も居ませんでした、この御城を一寸のぞいて見ましたら王様がつかつかと出て来ました、旅人はびっくりして逃げようとしました、その時王様にだきつかれて居ました、旅人は此の王様の王子だったので、ございます、王様は此の王子の為にこの国を作りました、それに其の子は東京で買った白い帽子をよごし洋傘の骨を何遍も修繕して貰いながら永い間、歩いて居ったのでございました、王子は永い旅に又のぼりました、なぜなれば、かの無窮遠のかなたに離れたる彼の友達は誠は彼の兄弟であったからでありました、それですから今も歩いているでしょう。

盛岡高等農林学校に来ましたならば、まず標本室と農場実習とを観せてから植物園で苺でも御馳走しようではありませんか。

新しい紙を買って来て、この旅人のはなしを又書きたいと思います。

復活の前

ふっかつのまえ

春が来ます、私の気の毒なかなしいねがいが又もやおこることでしょう、ああちちははよ、いちばんの幸福は私でありますます

総てはわれに在るがごとくに開展して来る。見事にも見事にも開展して来る。土性調査、兵役、炭焼、しろい空等

われは古着屋のむすこなるが故にこのよろこびを得たり

総ての音は斯く言えり

総ての光線は斯くふるえり

総ての人はかくよろこべり

海浜か林の中の小さな部落で私はお釈迦様のおまつりをしたい、お菓子を一つずつ、又はとれるだけ人々のとるにまかせつつ、うまい冷たいのみものを人々の飲むに任せ、また釈迦像のあたまから浴びせるに任せ、

私はさびしい、父はなきながらしかる、かなしい、母はあかぎれして私の幸福を思う。私はいくじなしの泣いてばかりいる、ああまっしろな空よ、
私はああさびしい

黒いものが私のうしろにつと立ったり又すうと行ったりします、頭や腹がネグネグとふくれてあるく青い蛇がいます、蛇には黒い足ができました、黒い足は夢のようにうごきます、これは竜です、とうとう飛びました、私の額はかじられたようです
暁烏さんが云いました「この人たちは自分の悪いことはそこのけで人の悪いのをさがし責める、そのばちがあたってこの人たちは悲憤こう慨するのです」
功利主義の哲学者は永い間かかって自分の功利的なことを内観し遂げました。これ実に人類の為におめでたいことではありませんか

（今人が死ぬところです）自分の中で鐘（かね）の烈（はげ）しい音がする。何か物足らぬ様な怒（おこ）ってやりたい様な気がする。その気持ちがぼうと赤く見える。赤いものは音がする。だんだん動いて来る。燃えている、やあ火だ、然（しか）しこれは間違（まちが）いで今にさめる。や音がする、熱い、あこれは熱い、火だ火だほんとうの火、あついほんとうの火だ、ああここは火の五万里のほのおのそのまんなかだ。

無上甚深微妙（むじょうじんじんみみょう）の法は百千万劫（ごう）にも遭遇（そうぐう）したてまつることかたし。われいま見聞し受持（じゅじ）することを得たり。ねがわくは如来（にょらい）の第一義を解し奉（たてまつ）らん

なんにもない、なぁんにもない、なぁんにもない。

戦が始まる、ここから三里の間は生物のかげを失（な）くして進めとの命令がでた。私は剣（けん）で沼の中や便所にかくれて手を合わせる老人や女をズブリズブリとさし殺し高く叫（さけ）び泣きながらかけ足をする。

私は馬鹿（ばか）です、だからいつでも自分のしているのが一番正しく真実だと思っています、真理だなんとよそよそしくも考えたものです

なみだなくして人を責めるのはもとめるのです。

秋田街道

あきたかいどう

どれもみんな肥料や薪炭をやりとりするさびしい家だ。街道のところどころにちらばって黒い小さいさびしい家だ。それももうみな戸を閉めた。

おれはかなしく来た方をふりかえる。盛岡の電燈は微かにゆらいでねむそうにならび只公園のアーク燈だけ高い処でそらぞらしい気焔の波を上げている。どうせ今頃は無鉄砲な羽虫が沢山集まってぶっつかったりよろけたりしているのだ。

私はふと空いっぱいの灰色はがねに大きな床屋のだんだら棒、あのオランダ伝来の葱の蕾の形をした店飾りを見る。これも随分たよりないことだ。

道が小さな橋にかかる。蛍がプイと飛んで行く。誰かがうしろで手をあげて大きくためいきをついた。それも間違いかわからない。とにかくそらが少し明るくなった。夜明けにはまだ途方もないしきっと雲が薄くなって月の光が透って来るのだ。

向こうの方は小岩井農場だ。
四っ角山にみんなぺたぺた一緒に座る。
月見草が幻よりは少し明るくその辺一面浮んで咲いている。マッチがパッとすられ莨の青いけむりがほのかにながれる。
右手に山がまっくろにうかび出した。その山に何の鳥だか沢山とまって睡っているらしい。

並木は松になりみんなは何かを云い争う。そんならお前さんはここらでいきなり頭を撲りつけられて殺されてもいいな。誰かが云う。それはいい。いいと思う。睡そうに誰かが答える。

道が悪いので野原を歩く。野原の中の黒い水潦に何べんもみんな踏み込んだ。けれどもやがて月が頭の上に出て月見草の花がほのかな夢をただよわしフィーマスの土の水たまりにも象牙細工の紫がかった月がうつりどこかで小さな羽虫がふるう。

けれども今は崇高な月光のなかに何かよそよそしいものが漂いはじめた。その成分こそはたしかによあけの白光らしい。

東がまばゆく白くなった。月は少しく興さめて緑の松の梢に高くかかる。

みんなは七つ森の機嫌の悪い暁の脚まで来た。道が俄かに青々と曲がる。その曲がり角におれはまた空にうかぶ巨きな草穂を見るのだ。カアキイ色の一人の兵隊がいきなり向こうにあらわれて青い茂みの中にこごむ。そうだ。あそこに湧水があるのだ。

雲が光って山々に垂れ冷たい奇麗な朝になった。長い長い雫石の宿に来た。犬が沢山吠え出した。けれどもみんなお互いに争っているのらしい。

葛根田川の河原におりて行く。すぎなに露が一ぱいに置き美しくひらめいている。新鮮な朝のすぎなに。

いつかみんな睡っていたのだ。河本さんだけ起きている。冷たい水を渉っている。変に青く堅そうなからだをはだかになって体操をやっている。

睡っている人の枕もとに大きな石をどしりどしりと投げつける。安山岩の柱状節理、安山岩の板状節理。水に落ちてはつめたい波を立てうつろな音をあげ、目を覚ました、目を覚ました。低い銀の雲の下で愕いてよろよろしている。それから怒っている。今度はにがわらいをしている。銀色の雲の下。

帰りみち、ひでり雨が降りまたかがやかに霽（は）れる。そのかがやく雲の原

　今日こそ飛んであの雲を踏（ふ）め。

けれどもいつか私は道に置きすてられた荷馬車の上に洋傘（こうもりがさ）を開いて立っているのだ。

ひどい怒鳴（どな）り声がする。たしかに荷馬車の持ち主だ。怒（いか）りたけって走って来る。そのほっぺたが腐（くさ）って黒いすもものよう、いまにも穴が明きそうだ。癩病（らいびょう）にちがいない。さびしいことだ。

虹（にじ）がたっている。虹の脚にも月見草が咲（さ）き又（また）ここらにもそのバタの花。一つぶ二つぶひでりあめがきらめき、去年の堅（かた）い褐色（かっしょく）のすがれに落ちる。

すっかり晴れて暑くなった。雫石（しずくいし）川の石垣は烈（はげ）しい草のいきれの中にぐらりぐらりとゆらいでいる。その中でうとうとする。

遠くの楊（やなぎ）の中の白雲でかっこうが啼（な）いた。

「あの鳥はゆうべ一晩なき通しだな。」

「うんうん鳴いていた。」誰（たれ）かが云（い）っている。

柳沢

やなぎさわ

林は夜の空気の底のすさまじい藻の群落だ。みんなだまって急いでいる。早く通り抜けようとしている。

俄かに空がはっきり開け星がいっぱい耀めき出した。ただその空のところどころ中風にでもかかったらしく変に淀んで暗いのは幾片か雲が浮かんでいるのにちがいない。

その静かな微光の下から烈しく犬が啼き出した。

けれども家の前を通るときは犬は裏手の方へ逃げて微かにうなっているのだ。

一寸来ない間に社務所の向かいに立派な宿ができた。ランプが黄いろにとぼっている。社務所ではもう戸を閉めた。

(こんや、二時まで泊めて下さい。四人です。たいまつがありますか。わらじがありますか。それから何かよるのたべものがありますか。ほう、火がよく燃えてるな。そいじゃ、よござんすか。入りますよ。)

（さあ、二時までぐっすりやるんだぜ。ねむらないとあしたつかれるぞ。はてな、となりへ誰か来ているな。そうだ、土間に測量の器械なんかが置いてあった。）

　青いきらびやかなねむりのもやが早くもぼんやりかかるのに誰かどしどし梯子をふんでやって来る。隣りの室をどんと明ける。

「やあ旦那さん。ぶん萄酒一杯やりなさい。」

「葡萄酒？　葡萄酒かい。お前がつくった葡萄酒かい。熱めてあるのかい。」

「まあ一杯おあがりなさい。そうです。アルコールを入れたのです。」

「アルコールを入れたのか。あとで？　作ってから？」

「そうです。大丈夫ですよ。本当のアルコールです。見坊獣医から分けて貰ったのであります。」

「どうして拵えたんだい。野葡萄を絞ってそれから？」

「いいえ、あとで絞るのです。まあ、おあがりなさい。大丈夫であります。」

「そうか。そんなら貰おうか。おっと、沢山だよ。ふん、随分入れたな、アルコールを。」

「ずいぶん瓶を沢山はじけらせました。」

「ふん。」

「砂糖を入れないでもやっぱり醱きます。」

「そうかい。砂糖を入れたら罰金だろう。おい、吉田、吉田。吉田を呼んで来て呉れ、あ、いいよ、来た来た。おい吉田。葡萄酒だそうだ。飲まないか。」

「そうですか。おや。熱くしてあるのか。どれ、おい沢山だ。渋いな。」

ねむけのもやがまた光る。


「あしたは騎兵が実弾射撃に来るそうじゃないか。どこへ射つのだろう。」

「笹森山、地図を拝見、これです。なあに私等の方は危なくありませんよ。」

「しかし弾丸が外れたら困るぜ。」

「なあに、旦那さん。そんたに来ません。そぃつさ騎兵だんすじゃい。」

ふん、あいつはあの首に鬱金を巻きつけた旭川の兵隊上がりだな、騎兵だから射的はまずい、それだから大丈夫外れ弾丸は来ない、というのは変な理屈だ。けれどもしんとしている。みんな少し酔って感心したんだな。


「今日は君は楽だったろう。」

「ええ、しかし昨日は鞍掛でまるで一面の篠笹、とても這うもよじるもできませんでした。」

「いや、おれの方だってそうだ。さあ寝るかな。あしたは天気は大丈夫だな。四つまでできるかな。」

「ええ。」

「やっ、お邪魔しぁんした。まだ入って居ります。置いて行きます。」

「おい、持って行け、持って行け、もう飲まんぞ。」

そうだ。帝室林野局の人たちだ。

たしかにこれは夢のはじめの方の青ぐろい空だ。山の中腹から裾野に近く雲が垂れ、その星明かりの雲の原の上でごろごろと雷が鳴っている。実に静かにうなっている。夢の中の雷がごろごろごろごろうなっている。雲の下の柏の木立に時々冷たい雨の灌ぐのが手に取るようだ。それでもやはり夢らしい。

何時かな。もう二時半だ。少しおくれた。いや、丁度いい。寒い。

（おい、もう二時半だ。二時半だ。行こう行こう。）寒くてガタガタする。みんなうらうら支度をしている。ゆうべのつづきの灰色ズックの鞄、ランプの光は青い孔雀の羽。

（いいか。火がついたか。さあ出よう。たいまつはまん中だぞ。寒いな。）

空の鋼は奇麗に拭われ気圏の淵は青黝ぐろと澄みわたり一つの微塵も置いてない。いっぱいの星がべつべつに瞬いている。オリオンがもう高くのぼっている。

（どうだ。たいまつは立派だろう。松の木に映るとすごいだろう。そして そうら、裾野と山が開けたぞ。はてな、山のてっぺんが何だか白光するようだ。何か非常にもの凄い。雲かもしれない。おい、たいまつを一寸うしろへかくして見ろ。ホウ、雪だ、雪だ。雪だよ。雪が降ったのだ。やっぱりさっき雨が来たのだ。夢で見たのだ。雪だよ。）

空気はいまはすきとおり小さな鋭いかけらでできている。その小さな小さなかけらが互いにひどくぶっつかり合い、この燐光をつくるのだ。

オリオンその他の星座が送るほのあかり、中にすっくと雪をいただく山王が立ち黒い大地をひきいながら今涯もない空間を静かにめぐり過ぎるのだ。さあみんな、祈るのだぞ、まっすぐに立て。

（無上甚深微妙法　百千万劫難遭遇
我今見聞得受持　願解如来第一義）

力いっぱい声かぎり、夜風はいのりを運び去りはるかにはるかにオホツクの黒い波間を越えて行く。草はもうみんな枯れたらしい。たいまつの火の粉は赤く散り　大熊星は見えません。

（ここのところでよく間違うぞ。左を行くと山みちなんだ。鳥居があるので悪くするとそっちへ行くぜ。）みちは俄かに細くなったり何本にもわかれたり。黒い火山礫と草のしずく。

（いつもなら火を見て馬がかけて来るんだが今はもうみんな居ないんだ。すっかり曇ったな。）

みちが消えたり又ひょいと出て来て何本にも岐れたり。

柏の枯れ葉がざらざら鳴っている。

なんだか路が少しおかしい。もう大分来ているのだが。

（向こうにどてがあるかどうか一寸見て来よう。おい。ついて来るな。そこに居ろ。何だ。たいまつが消えたな。そこに居ろよ。はなれるな。ずいぶん丈の高い草だ。胸きりある。）

（どてが無いよ。この路に沿っている筈なんだ。事によったら間違ったぞ。もう少し行って見よう。けれども駄目だ。やっぱり駄目だ。こんな変な坂路がなかった筈だ。少し北側へ廻ったのかな。すっかり曇ったし、困ったな。仕方ない夜明け迄に一ぺん宿へ引っ返し日が出てから改めて出掛けよう。）

（けれども一寸路をさがして来よう。何とか抜けられるかも知れない。曇ってさえ居なかったら見当だけつけてぐんぐん本当のみちの方へ草をこいで行けばいいんだが。仕方ない。ますます変な所へ来てしまった。やっぱり駄目だ。さあ引っ返しだぞ、戻りだぞ。やあ、降って来た降って来た。マントのあるのは誰々だ。さあ馳けるんだぜ。いいか。そら。大きな岩だ。つまずくな。）

（ふん、あれがさっきの柳沢の杉だ。

何だ沼森の坊主め。ケロリとして睡ってやがる。）

所々雲が切れて星が新らしく瞬く。

（ははあ。ここだ。ここで間違ったんだ。仕方ない。まあ行って火をたこう。）

山だけまだ雲をかぶっている。

（おい。上等のお菓子だぜ。一つずつ分けるぞ。もうじきだ。もう十五分。）しかし宿でも迷惑だな。

（路を間違えて帰って来ました。火をたきますよ。みんなきものを乾かせ。辛いな、けむりが。）

辛い。けむり。それにきものが乾かない。烟がみんなそっちへばかり行く。ぱっと燃えろ。さあ、ぱっと燃えろ。

（ああ、もう明るくなって来た。空が明るくなって来た。きれいだなあ。おい。）

深い鋼青から柔らかな桔梗、それからうるわしい天の瑠璃、それからけむりに目を瞑るとな、やはりはがねの空が眼の前一面にこめてその中にるりいろのくの字が沢山沢山光ってうごいているよ。くの字が光ってうご……。

もうすっかり暁だ。

（お握りを焼こう。はあ、ゆうべはどうも。途中で迷って。雨は降るし。）

（さあ日が出たようだ。行こう行こう。さあ飛び出すんだよ。おお、立派、この立派。ふう。）

日の光は琥珀の波。新らしく置かれたみねの雪。赤々燃える谷のいろ。黄葉をふるわす白樺の木。苔瑪瑙。

（おおい。あんまり馳けるな。とまれ。とまれぇ。おおい。止まれったら。待てったら。）

うん。朝の怒りは新鮮だ。炭酸水だ。

鈴蘭の葉は熟して黄色に枯れその実は兎の赤めだま。そしてこれは今朝あけ方の菓子の錫紙。

光っている。

花椰菜

はなやさい

うすい鼠がかった光がそこらいちめんほのかにこめていた。

そこはカムチャッカの横の方の、地図で見ると山脈の褐色のケバが明るくつらなっているあたりらしかったが実際はそんな山も見えず却ってでこぼこの野原のように思われた。

とにかく私は粗末な白木の小屋の入口に座っていた。

その小屋というのも南の方は明けっぱなしで壁もなく窓もなくただ二尺ばかりの腰板がぎしぎし張ってあるばかりだった。

一人の髪のもじゃもじゃした女と私は何か談していた。その女は日本から渡った百姓のおかみさんらしかった。たしかに肩に四角なきれをかけていた。

私は談しながら自分の役目なのでしきりに横目でそっと外を見た。

外はまっくろな腐植土の畑で向こうには暗い色の針葉樹がぞろりとならんでいた。

小屋のうしろにもたしかにその黒い木がいっぱいにしげっているらしかった。畑には灰いろの花椰菜が光って百本ばかりそれから蕃茄の緑や黄金の葉がくしゃくしゃにからみ合っていた。馬鈴薯もあった。馬鈴薯は大抵倒れたりガサガサに枯れたりしていた。ロシア人やだったん人がふらふらと行ったり来たりしていた。全体祈っているのだろうか畑を作っているのだろうかと私は何べんも考えた。

実にふらふらと踊るように泳ぐように往来していた。そして横目でちらちら私を見たのだ。黒い朱子のみじかい三角マントを着ていたものもあった。むやみにせいが高くて頑丈そうな曲った脚に脚絆をぐるぐる捲いている人もあった。

右手の方にきれいな藤いろの寛衣をつけた若い男が立ってだまって私をさぐるように見ていた。私と瞳が合うや俄かに顔色をゆるがし眉をきっとあげた。そして腰につけていた刀の模型のようなものを今にも抜くようなそぶりをして見せた。私はつまらないと思った。それからチラッと愛を感じた。すべて敵に遭って却ってそれをなつかしむ、これがおれのこの頃の病気だと私はひとりでつぶやいた。そして哂った。考えて又哂った。

その男はもう見えなかった。

その時百姓のおかみさんが小屋の隅の幅二尺ばかりの白木の扉を指さして

「どうか婆にも一寸遭っておくなさい。」と云った。私はさっきからその扉は外へ出る為のだと思っていたのだ。もっとも時々頭の底ではあ騒動のときのかくれ場所だななどと考えてはいた。けれども戸があいた。そして黒いゴリゴリのマントらしいものを着てまっ白に光った髪のひどく陰気なばあさんが黙って出て来て黙って座った。そして不思議そうにしげしげ私の顔を見つめた。

私はふっと自分の服装を見た。たしかに茶いろのポケットの沢山ついた上着を着て長靴をはいている。そこで私は又私の役目を思い出した。そして又横目でそっと作物の発育の工合を眺めた。

一エーカー五百キログラム、いやもっとある、などと考えた。人がうろうろしていた。せいの高い顔の滑らかに黄いろな男がいた。あれは支那人にちがいないと思った。

よく見るとたしかに髪を捲いていた。その男は大股に右手に入った。それから小さな親切そうな青いきものの男がどうしたわけか片あしにリボンのようにはんけちを結んでいた。そして両あしをきちんと集めて少しかがむようにしてしばらくじっとしていた。私はたしかに祈りだと思った。

私はもういつか小屋を出ていた。全く小屋はいつかなくなっていた。うすあかりが青くけむり東のそらには日本の春の夕方のように鼠色の重い雲が一杯に重なっていた。そこに紫苑の花びらが羽虫のようにむらがり飛びかすかに光って渦を巻いた。

みんなはだれもパッと顔をほてらせてあつまり手を斜めに東の空へのばして
「ホッホッホッ。」と叫んで飛びあがった。私は花椰菜の中ですっぱだかになっていた。私のからだは貝殻よりも白く光っていた。私は感激してみんなのところへ走って行った。

そしてはねあがって手をのばしてみんなと一緒に
「ホッホッホッホッ」と叫んだ。

たしかに紫苑のはなびらは生きていた。

みんなはだんだん東の方へうつって行った。

それから私は黒い針葉樹の列をくぐって外に出た。

白崎特務曹長がそこに待っていた。そして二人はでこぼこの丘の斜面のようなところをあるいていた。柳の花がきんきんと光って飛んだ。

「一体何をしらべて来いと云うんだったろう。」私はふとたよりないこころもちになってこう云った。

「種子をまちがえたんでしょう。それをしらべて来いと云うんでしょう。」

「いや収量がどれだけだったかというのらしかったぜ。」私は又云った。

向こうにべつの畑が光って見えた。そこにも花椰菜がならんでいた。これから本国へたずねてやるのも返事の来るまで容易でない、それにまだ二百里だ、と私は考えて又たよりないような気がした。

白崎特務曹長は先に立ってぐんぐん歩いた。

電車（でんしゃ）

第一双（そう）の眼（め）の所有者
（むしゃくしゃした若い古物商。紋付（もんつき）と黄の風呂敷（ふろしき））

第二双の眼の所有者
（大学生。制服制帽（せいぼう）。大きなめがね。灰色ズックの提鞄（さげかばん））

第一双の眼（いや、いらっしゃい、今日（こんにち）は。よいお天気でございます。）

第二双の眼（何を嗤（わら）ってやがるんだ。）

（失礼いたしました。へいへい。ええと、あなたさまはメフィストさんのご子息さん。今日はどちらへ。）

（何だ失敬（しっけい）な。）

（あ、左様（さよう）で。あ、左様でございましたか。これはどうもまことに失礼いたしました。たいへん飛び乗りがお上手（じょうず）でいらっしゃいます。）

（まだ何か云（い）ってるのかい。失敬じゃないか。）

（そうそう。あなたはメフィストさんとはアウエルバッハ以来お仲がよろしくないのですな。ついおなりがそっくりなもんですから、まあちょっと相似形、さよう、ごく複雑な立体の相似形というようにお見受けいたしたもんですから。いや、どうもまことに失礼いたしました。）

（気を付けろ。間抜けめ。何だそのにやけようは。）

（へいへい。なあにどうせ私などはへいへい云うようにできてるんですから。いや。それにしてもただ今は又もやとんだ無礼をはたらきました。ひらにひらにご容謝と。ところでお若いのにそのまん円な赤い硝子のべっ甲めがねはいかがでしょうか。いかがなもんでございましょうな。）

（気持ちの悪いやつだな。この眼鏡かい。この眼鏡かい。おれは乱視だから仕方ないさ。）

（あっ、ああ、なる程乱視。乱視でしたか。いや、それならば仕方ござんせん。なるほど、なるほど。とにかくしかしそれにしてもと、あんまりお帽子の菱がたが神経質にまあ一寸詩人のように鋭く尖っていささかご人体にかかわりますが、）

（えい、畜生まだ何か云ってやがる。何だ、きさまの眼玉は黄いろできょろきょろまるで支那の犬のようだ。ははあおれはドイツできさまの悪口を云ってやる。判るかい。

“Was für ein Gesicht du hast !” おや。）

（何だと。“Nein, mein Jüngling, sage noch einmal, was für ein Gesicht du machst !”

そっちの方で判るかい。おまえのような人道主義者は斯う云うもんだ。hast では落第だよ。）

（ふん。支那人と思ったらドイツとのあいの子かい。）

（いいえ。どう致しまして。お前こそ気をつけろよ。自慢らしくドイツなどをもち出したからこんなもんさ。へん。お前なんか気の毒な鼠の天ぷらだ。）

（まだ見てるのかい。よくよく執念深いやつだ。夫婦喧嘩の飛ばっちりはよして呉れ。）

（へい。ちとお遊びに。）

（又にやけてやがる。どうせきさまは周旋屋か骨董屋だろうぜ。そこでな、おれが判事になったとき丁度めぐり合うとしようか。ああもう降りるかい。ええと落ちぶれた成金さんによろしく。）

（さよなら。ひよっこさん。大きなまちの埃の中だ。くるくる廻ってへたばらないよう御用心。）

（えい。勝手にしろ。お別れにただ一言ご忠告いたします。電車がとまってからお降りなさいだ。）

（プイ。）

図書館幻想

としょかんげんそう

おれはやっとのことで十階の床をふんで汗を拭った。

そこの天井は途方もなく高かった。全体その天井や壁が灰色の陰影だけで出来ているのかつめたい漆喰で固めあげられているのかわからなかった。

（そうだ。この巨きな室にダルゲが居るんだ。今度こそは会えるんだ。）とおれは考えて一寸胸のどこかが熱くなったか熔けたかのような気がした。

高さ二丈ばかりの大きな扉が半分開いていた。おれはするりとはいって行った。

室の中はガランとしてつめたく、せいの低いダルゲが手を額にかざしてそこの巨きな窓から西のそらをじっと眺めていた。

ダルゲは灰色で腰には硝子の簑を厚くまとっていた。そしてじっと動かなかった。

窓の向こうにはくしゃくしゃに縮れた雲が痛々しく白く光っていた。

ダルゲが俄かにつめたいすきとおった声で高く歌い出した。

　西ぞらの

　ちぢれ羊から

おれの崇敬は照り返され
（天の海と窓の日覆い。）
　おれの崇敬は照り返され。
おれは空の向こうにある氷河の棒をおもっていた。
ダルゲは又じっと額に手をかざしたまま動かなかった。
おれは堪えかねて一足そっちへ進んで叫んだ。
「白堊系の砂岩の斜層理について。」
ダルゲは振り向いて冷ややかにわらった。

凡例

本コレクションは、『新校本　宮沢賢治全集』（筑摩書房）を底本とし、『新修宮沢賢治全集』、新潮文庫『新編　風の又三郎』『新編　銀河鉄道の夜』『注文の多い料理店』『ポラーノの広場』等を参考にして校訂し、本文を決定しました。

本文は、短歌・文語詩以外は、現代仮名づかいに改めました。また、本文中に使用されている旧字・正字について、常用漢字字体のあるものはそれに改めました。

また、読みやすさを考え、句読点を補い、改行を施した箇所があります。

さらに、常用漢字以外の漢字、宛字、作者独自の用法をしている漢字を中心として、読みにくいと思われる漢字には振り仮名をつけ、送りがなを補いました。「一諸」「大低」などのように作者が常用しており、当時の用法として必ずしも誤りとは言えない用字や表記についても、現代通行の標準的用字・表記に改めたものがあります。

今日の人権意識に照らして不当・不適切と思われる、人種・身分・職業・身体障害・精神障害に関する語句や表現については、時代的背景と作品の価値にかんがみ、そのままとしました。

本文について

杉浦　静

本巻には、一九二二（大正十二）年頃までに初稿が成立した童話十九篇と、初期短篇として、同人雑誌「アザリア」に発表した作品から二篇、「初期短篇綴等」から五篇を収録した。

宮沢賢治が最初に自作の童話を家族に読み聞かせたのは、弟清六氏らの記憶（回想）によれば一九一八（大正七）年夏のことであったという。その時の童話は「蜘蛛となめくじと狸」と「双子の星」であった。盛岡高等農林学校を卒業（得業）後、研究生として在学し稗貫郡土性調査に従事して山野を歩き回っていた時期である。童話・童謡を中心とする児童文化雑誌「赤い鳥」が創刊（同年七月）され、青年たちの間に大きな反響を呼び起こすことになった、まさにその時期でもあった。

しかし、現存する「蜘蛛となめくじと狸」「双子の星」の草稿は、大正七年夏に宮沢賢治の読み聞かせたものではなく、大正十年以降にあらためて清書されたものである。賢治の創作の特質の一つとして、細部の修正にとどまらず作品の変化や転生に至るおびただしい推敲・手入れがあげられるが、「蜘蛛となめくじと狸」「双子の星」の草稿もまさしく大正七年の草稿への推敲・手入れの結果として、大正十年以降に清書されたものである。しかも、この二つの童話も、清書が行われた後、それぞれ数次にわたる、さらなる推敲・手入れが行われているのである。

以下には、本巻収録の童話各篇について、推敲過程の概要、本文依拠稿について、洋紙表紙記入メモ、について略記した。また、『新校本宮沢賢治全集』（以下『新校本全集』と略記）本文と異なる本文決定をした場合には校訂箇所等について記した。

「アザリア」は、宮沢賢治の盛岡高等農林学校三年時に創刊した文芸同人誌。同人は十二人、中心となったのは、小菅健吉、宮沢賢治、河本義行、保阪嘉内の四人であった。賢治は、第一号（大正六年七月一日発行）に短歌と「「旅人のはなし」から」、第二号（大正六年七月十八日発行）・第三号（大正六年十月十七日発行）・第四号（大正六年十二月十六日発行）に短歌、第五号（大正七年二月二十日発行）に「復活の前」、第六号（大正七年六月二十六日発行〈推定〉）に「〔峯や谷は〕」を発表している。これら発表作のうちから、「マグノリアの木」（本コレクション第四巻収録）の初期形である「〔峯や谷は〕」を除いた、「「旅人のはなし」から」と「復活の前」を収録した。

『新校本全集』では、生前作者が一冊に綴じ合わせて保存していた十篇の作品と、初期散文四篇をあわせて、「初期短篇綴等」として収録している。これらは、いずれも一九二〇年から二二年にかけて清書されたもので、盛岡高等農林学校時代から、大正十年の東京滞在中、及び帰郷直後の体験から発想した散文詩風や心象スケッチ風の短篇である。本巻では、初期短篇綴から「秋田街道」「柳沢」「花椰菜」、初期散文から「電車」「図書館幻想」を収録した。

蜘蛛となめくじと狸

清書後手入稿。第一葉は四百字詰原稿用紙に青みの多いインクで書かれた差替稿。第二葉以下は、第一葉とは異なる四百字詰原稿用紙二十一枚にブルーブラックインクで清書され、書きながらあるいは直後の手入れの後、青みの多いインクでさらに手入れがなされている。第一葉の差し替えは、第二葉以下への青みの多いインクでの手入れの際に行われた。本文は、青みの多いインクによる手入れの最終形態に拠った。草稿には洋紙表紙が付され、表紙中央にはブルーブラックインクで題名が、その右上寄りには赤インクで「寓話集中」と書かれている。草稿冒頭の題名は「蜘蛛となめくじと狸。」と句点付き。草稿は総ルビだが、本文はパラルビに改めた。なお、本篇は、この後、鉛筆による大幅な手入れにより「山猫学校を卒業した三人」となり、さらに推敲されて「洞熊学校を卒業した三人」（本コレクション第五巻収録）となった。

双子の星

清書後手入稿。四百字詰原稿用紙三十三枚にブルーブラックインクで清書され、書きながらあるいは直後の手入れの後、筆記具をかえながら二度の手入れが行われている。本文は、草稿の最終形態に拠った。草稿は洋紙表紙付き。表紙中央にはブルーブラックインクで題名が、その右方から下方左にかけては赤インクで「一層の無邪気さとユーモアとを有せざれば全然不適」と書かれ、左方には「第一集　尋四年以下の分」と書かれている。なお、草稿冒頭の題名は句点付き。

貝の火

清書後手入稿。四百字詰原稿用紙四十枚（冒頭一枚は現存しない）にブルーブラックインクで清書され、書きながらあるいは直後の手入れの後、はじめの数枚には筆記具をかえた手入れが行われている。本文は、草稿の最終形態に拠った。草稿は洋紙表紙付き。表紙中央にはブルーブラックインクで題名が、その下には紫鉛筆で「未定稿」と書かれている。また、題名右上方に「第一集中」、その右に「単純化せよ／無邪気さをとれ」、題名右下に「貝の火意味をなさず／却って権勢の意を表す方可ならん」、左方には「因果律を露骨ならしむるな」と、いずれも赤インクで書かれている。さらに、題名の真上には直径五センチ程度の円と、その中に右回りに吉・吝・凶・悔の四文字が赤インクで書かれている。草稿は総ルビだが、本文はパラルビに改めた。なお、本篇には、及川（のち福田）留吉による筆写稿が存在する。大正十一年十一月頃に及川が教室で読み聞かせられた「貝の火」に感動、作者から借り受けて筆写したもの。

いちょうの実

清書稿。四百字詰原稿用紙七枚にブルーブラックインクで清書され、書きながらあるいは直後の手入れの後、草稿第一葉のみに筆記具をかえた手入れが行われている。本文は、草稿の最終形態に拠った。草稿は洋紙表紙付き。草稿冒頭の題名は句点付き。草稿は総ルビだが、本文はパラルビに改めた。

よだかの星

清書後手入稿。四百字詰原稿用紙十四枚にブルーブラックインクで清書され、書きながらあるいは直後の手入れの後、筆記具をかえた手入れが行われている。本文・題名は、草稿の最終形態に拠った。草稿は洋紙表紙付き。草稿冒頭の題名は、「よだか。」と書かれた後「よだかの星」と直されている。表紙記入の題名は、最初「よだか」、後、「ぶとしぎ」と改められている。

さるのこしかけ

清書後手入稿。四百字詰原稿用紙十一枚にブルーブラックインクで清書され、書きながらあるいは直後の手入れの後、筆記具をかえた手入れが行われている。本文は、草稿の最終形態に拠った。草稿は洋紙表紙付き。表紙中央にはブルーブラックインクで題名が、その右方には赤インクで「種山ヶ原　夢中の一情景」と書かれている。草稿冒頭の題名は句点付き。

めくらぶどうと虹

清書後手入稿。四百字詰原稿用紙七枚にブルーブラックインクで清書され、書きながらあるいは直後の手入れがある。本文は、草稿のブルーブラックインク手入れの最終形態に拠った。草稿は洋紙表紙付き。表紙中央にはブルーブラックインクで題名が、その右方には鉛筆の大きな字で「花鳥童話十二篇／要再訂」と書かれている。草稿冒頭の題名は句点付き。なお、本篇は、後に改作され「マリヴロンと少女」となる。草稿には改作のためのメモ、手入れが赤インクで記入されているが、その詳細は「マリヴロンと少女」（本コレクション第五巻収録）の本欄で扱う。なお、賢治童話中に登場する「もず」については、童話中の生態等から「ムクドリ」のことであるとするのが通説になっている（赤田秀子・杉浦嘉雄・中谷俊雄『賢治鳥類学』新曜社、一九九八年）。この混同が作者の誤解によるものなのか、花巻地方の方言によるものなのかは不明。本篇中の「もず」も「ムクドリ」のことであろうが、本文を「ムクドリ」と校訂することはしなかった。

気のいい火山弾

清書後手入稿。四百字詰原稿用紙十二枚にブルーブラックインクで清書され、書きながらあるいは直後の手入れの後、筆記具をかえながら二度の手入れが行われている。本文は草稿の最終形態に拠った。草稿は洋紙表紙付き。表紙中央にブルーブラックインクで題名が書かれている。草稿冒頭の題名は句点付き。

「ツェ」ねずみ

清書後手入稿。四百字詰原稿用紙十三枚にブルーブラックインクで清書され、書きながらあるいは直後の手入れの後、筆記具をかえた手入れが行われている。本文は草稿の形態に拠った。草稿は洋紙表紙付き。表紙中央にはブルーブラックインクで題名が、左方には赤インクで「動物寓話集」と書かれている。草稿冒頭の題名は句点付き。

鳥箱先生とフゥねずみ

清書後手入稿。四百字詰原稿用紙十枚にブルーブラックインクで清書され、書きながらあるいは直後の手入れの後、筆記具をかえながら二度の手入れが行われている。本文は草稿の最終形態に拠った。草稿は洋紙表紙付き。表紙中央にはブルーブラックインクで題名が、右方には赤インクで「寓話集中」と書かれている。本文中の主人公の呼称は、「フウ」と「フゥねずみ」とに整えた。また、125頁3行目「ひよどり」は、草稿で「ひわ鳥」とあるのを作者の誤記とみて校訂した箇所である。

クンねずみ

清書後手入稿。四百字詰原稿用紙十五枚にブルーブラックインクで清書され、書きながらあるいは直後の手入れの後、筆記具をかえながら二度の手入れが行われている。最後の手入れは、第二葉の最初までほぼ終わっているため、本文は最終手入れの直前の形態に拠った。草稿は洋紙表紙付き。表紙中央にはブルーブラックインクで題名が、その右方には「寓話集中」と書かれている。また、左方には、「一部と二部とに分ち／第一部にてクねずみは慢心強くそねみ深く鼠仲間の大天狗なりとすべし」と書かれている。これは最終手入れのためのメモと推定される。草稿冒頭の題名は句点付き。

十力の金剛石

清書後手入稿。四百字詰原稿用紙二十四枚にブルーブラックインクで清書され、書きながらあるいは直後の手入れの後、筆記具をかえながら三度の手入れが行われている。本文は草稿の最終形態に拠った。草稿は洋紙表紙付き。表紙中央にはブルーブラックインクで題名が、その左下には紫色鉛筆で「未定稿」と書かれているが、いずれも鉛筆の縦線で消されている。題名左方に鉛筆で、「虹の絵の具皿／こどもふたり、王子は不可、／蜂雀の代りにひわ／ひわはいつでも虹のアーチを潜り抜くれどもふたりは能(あた)わず／林中　赤げら、るりかけす、」とある。表紙上部余白には、樹々に虹がかかり、その虹を一羽の鳥が飛び抜けようとする鉛筆画がかかれ、右方には赤インクで「構想全く不可　そのうちの数情景を用い得べきのみ」とも書かれている。草稿冒頭の題名は句点付き。表紙の題名は、「十力の金剛石」から「虹の絵の具皿」へと変更されているが、表紙記入の鉛筆書きメモは本文の手入れに生かされていないので、改稿以前とみて「十力の金剛石」の題名を採用した。

若い木霊

（1）下書稿（五枚、既使用原稿用紙の裏面に鉛筆で記入）、（2）清書稿（一枚、四百字詰原稿用紙にブルーブラックインクで清書）の二種の草稿が現存する。（1）は冒頭部を欠き、（2）は前後を欠くが、（2）は（1）の清書稿と考えられ、また、（2）の末尾が（1）の冒頭部と重複するので、（1）の前に（2）の重複部直前までを補って本文とした。159頁後ろから4行目「おかしいな、」以下が（1）である。（1）（2）ともに冒頭部が欠落しているため題名は不明、初期全集以来の慣用に従って「若い木霊」とした。なお、本篇は、「〔若い研師〕」の前半が独立発展した作品であり、のちに「タネリはたしかにいちにち噛んでいたようだった」（本コレクション第五巻収録）に改作された。

カイロ団長

（1）下書稿（八枚、既使用原稿用紙の裏面に鉛筆で記入）、（2）清書後手入稿（二十四枚、四百字詰原稿用紙にブルーブラックインクで清書され、書きながらあるいは直後の手入れの後、さらに筆記具をかえて手入れされている）の二種の草稿が現存する。本文は、（2）清書後手入稿の最終形態に拠った。清書後手入稿は洋紙表紙付き。表紙中央にはブルーブラックインクで題名が、その右方には「動物寓話集中」、左方には「要再訂」と書かれている。清書後手入稿冒頭の題名は句点付き。

とっこべとら子

清書後手入稿。四百字詰原稿用紙十一枚にブルーブラックインクで清書され、書きながらあるいは直後の手入れの後、筆記具をかえた手入れが行われている。本文は、草稿の最終形態に拠った。草稿は洋紙表紙付き。表紙中央にブルーブラックインクで題名が書かれている。草稿冒頭の題名は、カギ括弧、句読点付きで、「「とっこべ、とら子。」」。

よく利く薬とえらい薬

清書後手入稿。二種類の四百字詰原稿用紙計十二枚にブルーブラックインクで清書され、書きながらあるいは直後の手入れの後、筆記具をかえた二度の手入れが行われている。本文は、草稿の最終形態に拠った。用紙が途中から変わるが、字体・内容は連続しているので、続けて書かれたとみられる。

十月の末

清書後手入稿。第一葉は四百字詰原稿用紙にブルーブラックインクで書かれた差替稿。第二葉以下は、第一葉とは異なる四百字詰原稿用紙十五枚にブルーブラックインクで清書され、書きながらあるいは直後の手入れの後、筆記具をかえて三度の手入れが行われている。第一葉の差し替えは、第二葉以下への筆記具をかえた一度目の手入れの後。本文は、草稿の最終形態に拠った。草稿は洋紙表紙付き。表紙中央にブルーブラックインクで題名が書かれている。草稿冒頭の題名は句点付き。

ひかりの素足

清書後手入稿、四十六枚。第一形態は三種の四百字詰原稿用紙に、六種の筆記具を用いて清書されている。この複雑な用紙・筆記具の構成は、数次にわたる部分的書き直しや紙葉の差し替えの結果である。

全体としては九次にわたる推敲過程を経ている。なお、用紙、筆記具、推敲過程の詳細については、『新校本全集』第八巻校異篇参照。作品の成立には、一九二二年から二三年以降にわたる比較的長い時間がかかっているとみられる。本文は、草稿の最終形態に拠った。草稿は洋紙表紙付き。表紙中央にはブルーブラックインクで題名が、その右側に赤インクで「凝集を要す／恐らくは不可」、左側に「余りに／センチメンタル／迎意的なり」と書かれている。草稿冒頭の題名は、句点、ルビ付き。推敲過程で留意されるのは、第三段階で子どもらの名前を、「一郎」から「ペル」ついで「ベルン」に、また「楢夫」から「ゼル」ついで「ペル」に変更し、さらに会話を岩手方言から共通語にかえているが、第四段階で、これらをもとに戻している点である。ただ、この変更は最初の四葉にとどまり、全面的な変更には至っていなかった。

ペンネンネンネンネン・ネネムの伝記

現存稿は、二種の四百字詰原稿用紙六十六枚にブルーブラックインクを用いて清書されている。このうち末尾の三枚は、関鉄三氏による筆写稿で、そこに作者自筆の手入れがなされたものである。残りの六十三枚には、書きながらあるいは直後の手入れの後、筆記具をかえた三度の手入れがなされている。本文は、現存稿については、草稿の最終形態に拠った。末尾八枚分については、いったん発見されながら戦災で焼失したため、焼失前に活字化した十字屋版『宮沢賢治全集』別巻本文に拠った。また、題名及び第一章章題については、冒頭部に数枚の欠落があるため不明であるので、十字屋版全集以来の慣用に従った。さらに現存稿の、焼損やはげしい傷みのために判読の困難な箇所等については、十字屋版以来の全集における本文を参照して補った。なお、関鉄三氏による筆写は、氏の宮沢家勤務の時期等から一九二二（大正十一）年頃と推定されている。

初期短篇

「旅人のはなし」から

「アザリア」第一号（大正六年七月一日発行）に発表。本文は、発表形に拠ったが、明らかな誤字・脱字等は訂正した。「アザリア」は謄写版刷りの同人雑誌。製版者は不明。

復活の前

「アザリア」第五号（大正七年二月二十日発行）に発表。本文は、発表形に拠ったが、明らかな誤字・脱字等は訂正した。「アザリア」は謄写版刷りの同人雑誌。製版者は不明。

秋田街道

清書後手入稿。四百字詰原稿用紙六枚にブルーブラックインクで清書され、鉛筆による手入れがある。本文末尾に青インクで「1920.9.-」との記入がある。本文は草稿の最終形態に拠った。

柳沢

清書稿。四百字詰原稿用紙十一枚にブルーブラックインクで清書され、同インクによる手入れがある。第一葉1行目の題名下方に鉛筆で「大正六年十月」、本文末尾に青インクで「1920.9.-」との記入がある。本文は草稿の最終形態に拠った。

花椰菜

清書稿。四百字詰原稿用紙六枚にブルーブラックインクで清書され、同インクによる手入れがある。第一葉1行目の題名下方に鉛筆で「一九二二・一二・」、本文末尾に青インクで「1922.1.–」との記入がある。本文は草稿の最終形態に拠った。

電車

四百字詰原稿用紙四枚にブルーブラックインクで清書され、同インクによる手入れがある。本文末尾に青インクで「1921.6.–」との記入がある。本文は草稿の最終形態に拠った。なお、草稿冒頭の題名は句点付きだが、本文では省略した。

図書館幻想

四百字詰原稿用紙二枚にブルーブラックインクで清書され、同インクによる手入れがある。初題「ダルゲ。」は、後に赤インクによって「図書館幻想」と変更された（昭和五年頃と推定）。本文末尾に青インクで「1921.11.–」との記入がある。本文は草稿の最終形態に拠った。なお、本篇は後に行分け詩「ダルゲ」に改作された。また、文語詩「〔われはダルケを名乗れるものと〕」は関連稿である。

エッセイ・賢治を愉しむために

いまも燃え続ける星

島本理生

幼い頃は宮沢賢治が苦手だった。読むたびに違和感と心地悪さを覚えたのは、賢治作品が一応は童話とされながらも、単純なカタルシスから切り離されていたからだ。

教科書に載っていた『セロ弾きのゴーシュ』でさえ、ゴーシュが嵐のように弾いたセロに動物たちは苦しみながらも病を癒され、コンサートも成功をおさめるという顚末は子供にとって分かりやすい物語とはいえない。猫の舌でマッチをすったりと、その言動もずいぶんと乱暴だ。それゆえにラストの、

「ああかっこう。あのときはすまなかったなあ。おれは怒ったんじゃなかったんだ。」

という呟きは、子供心にも唐突な印象を受けたものだった。実際、かっこうは散々な目に遭っている。『よだかの星』のよだかや『猫の事務所』のかま猫のように、いじめられる対象が主役になると、その理不尽さはいっそう際立つ。

賢治の書く主人公は時としてひどく虐げられる。怒りと哀しみを内包し、その結末もけっして救われたとはいえないものが多い。

にもかかわらず多くの人が賢治作品を愛し、今も読み継がれる物語として強い存在感を示して

いるのはなぜかとずっと不思議に感じていた。

大人になって『よだかの星』を読み返したとき、初めてその理由に触れた気がした。子供の頃はみじめで気の毒だと思っていたよだかが、鷹に名前を変えろと迫られても「そんなことをする位なら、私はもう死んだ方がましです。」と突っぱねる場面は、よく考えてみれば意外なくらいに強い意思表示だった。

その理由についても、よだかは明確に宣言している。

「私の名前は私が勝手につけたのではありません。神様から下さったのです。」

この、神様、という単語に気付いたときから、文脈が取れないと思っていた賢治の世界が少し開かれたような気がした。そして暗闇にかすかに光る星々に導かれるように、ページを捲(めく)るようになった。

『銀河鉄道の夜』も、親友のカムパネルラがジョバンニをいじめていたザネリを助けて死ぬという、本来はあまり後味の良い物語ではない。その上、本作は賢治作品の中でもずば抜けて分かりづらい。巨大な銀河に、賢治の知識や身体感覚や思想が溶けて混然としている。

その中でひときわ目立つ星は、賢治作品に一貫した自己犠牲の精神だ。

途中、ジョバンニたちが女の子からさそりの話を聞く。さそりがいたちから逃げて井戸に落ちたことで、今までいくつもの命をとっておきながら、今度は自分の命でいたちを生かすことができなかったことを悔み、

「まことのみんなの幸(さいわい)のために私のからだをおつかい下さい。」

と言って真っ赤に燃える。

先ほどの『よだかの星』にも近い独白があり、それについて梅原猛は『地獄の思想』の中で「おのれを空しゅうして他人のためにつくすこと、それはもちろん、大乗仏教の菩薩行の理想である。」と解説している。さそりもその理想に沿ったエピソードだと考えられる。

賢治の作品において仏教の影響は大きいが、本作にはキリスト教に関連するものも多いため、最初はやや混乱した。ジョバンニの名はヨハネの意味を持ち、乗客は黒いバイブルを胸にあてたり、カトリック風の尼さんがいたりする。今はどちらの影響というより、この混ざり方こそがとても賢治的だと感じる。

賢治は生前、『ビジテリアン大祭』という「菜食信者」なるものの祭りの話を書いている。その祭りの壇上でキリスト教徒と仏教徒を順番に登場させ、対立させるのではなく双方の宗教的精神から肉食を否定した上、キリスト教については「キリスト教の精神は一言にして云わば神の愛であろう。神天地をつくり給うたとのつくるというような語(ことば)は要するにわれわれに対する一つの比喩である、表現である。」と僅か数行でその本質が的確にまとめられている。

父親にまで激しく日蓮宗への改宗を迫った賢治の、キリスト教の自己犠牲と愛の精神に対する理解と共感は意外なほど深い。

ところが『銀河鉄道の夜』後半、神様論争が起こる。船が沈没して死んだ兄妹を連れた青年とジョバンニの会話である。先の台詞が青年で、続くのがジョバンニである。

「あなたの神さまってどんな神さまですか。」

「ぼくほんとうはよく知りません、けれどもそんなんでなしにほんとうのたった一人の神さまです。」

「ほんとうの神さまはもちろんたった一人です。」

「ああ、そんなんでなしにたったひとりのほんとうのほんとうの神さまです。」

先の青年は、もちろんたった一人、と即座に確信を持って言い切るところから、おそらく一神教の信徒である。信仰が半ば習慣化し、常に問い続ける「考える葦」としての姿勢はそこにはあまり見えない。

そこでジョバンニはさらに、ほんとうのほんとうの神様、と反論する。ジョバンニの、ほんとうはよく知りません、というのは曖昧ではなく、むしろ正しさの追究のように感じられる。ほんとうのほんとうの神さま、がいるとしたら、たしかに人間には知る由もないからだ。

人が知り得たと思って言語化した瞬間にほんとうではなくなるという矛盾に足掻きながら、それでも信仰を貫く賢治の頑固なまでの純粋と強さがここに凝縮している。

賢治の銀河には、人が当然のように区別してきたものたちが混ざり合い、すべては「ほんとうのさいわいとは一体何だろう」という問いのためにあるとでもいうように、くり返し「ほんとうの幸い」に回帰する。

死ぬまで熱心な日蓮宗の信者だった賢治だが、もしあと二、三十年生きたら指導者として新しい宗教を提示したのかもしれないとさえ私は思う。あるいは作品自体がその全体図なのかもしれない。

もっとも『銀河鉄道の夜』は改稿をくり返し、死後に発表されているため解釈も諸説ある。分かるのは、想像力の宇宙の中で賢治がいかに巨大なものを創造していたかということだ。

最後に私が一番好きな『眼にて云ふ』という詩について触れたいと思う。病に伏した賢治が書いた詩で、こんな冒頭である。

だめでせう
とまりませんな
がぶがぶ湧いてゐるですからな
ゆふべからねむらず
血も出つゞけなもんですから
そこらは青くしんしんとして
どうも間もなく死にさうです

間もなく死にさうです、とまで言い切る状況は本来苦しく悲劇的であるはずなのに、賢治文学の特徴である擬音も健在で口調もおどけているからか、奇妙に明るい。

この詩こそ一見分かりづらい賢治の、生誕から百年以上経ってもなお変わらぬ強度を象徴しているようである。

藤森照信

近代日本の洋風建築——栄華篇

主に文献学だった近代建築史に建物の調査や関係者取材を取り入れたフジモリ流建築史。そのエッセンスを全2冊に。西洋館を否定しモダニズムが台頭する第2巻。

87390-3　A5判（3月中旬刊）４０００円+税

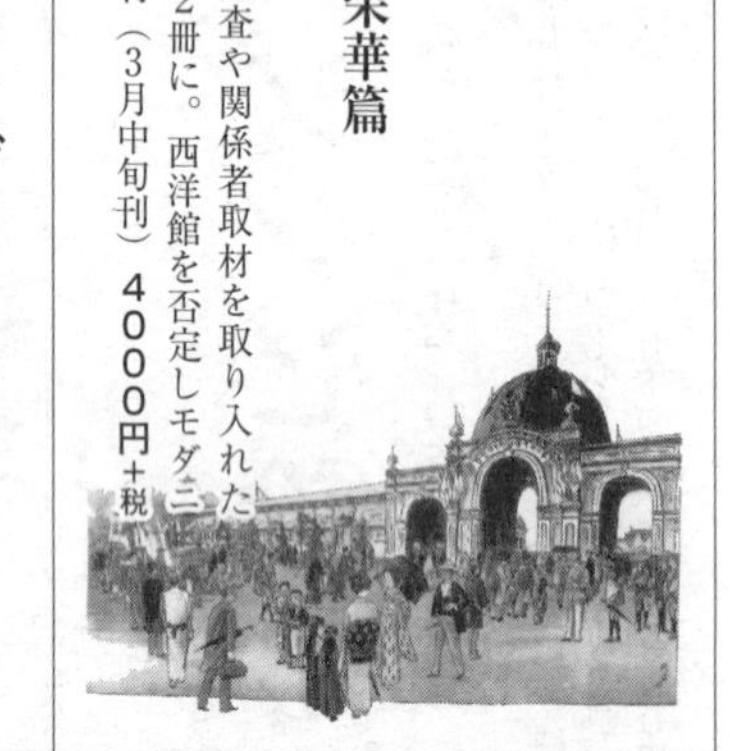

クリストファー・ベックウィズ　**斎藤純男 訳**

ユーラシア帝国の興亡——世界史四〇〇〇年の震源地

中央ユーラシアが求めたのは侵略ではなく交易だった。——スキュタイ、フン、モンゴルから現代まで、世界の経済・文化・学問を担った最重要地域の歴史を描く。

85808-5　四六判（3月中旬刊）４２００円+税

共同通信社　藤原聡／宮野健男

死刑捏造

——松山事件・尊厳かけた戦いの末に

最高裁死刑判決後に再審で無罪が確定した松山事件。警察による証拠捏造の恐るべき実態。冤罪を晴らすために闘った人々。元死刑囚、その後の人生を描く。

81845-4　四六判（3月下旬刊）**予価2200円+税**

価格は定価（本体価格＋税）です。6桁の数字はJANコードです。頭に978-4-480をつけてご利用下さい。

好評の既刊
＊印は2月の新刊

ぼくの東京全集
小沢信男
小説、紀行文、エッセイ、俳句……作家は、その町を一途に書いてきた。『東京骨灰紀行』等65年間の作品から選んだ集大成の一冊。（池内紀）
43407-4 1300円＋税

悪党どものお楽しみ
パーシヴァル・ワイルド 巴妙子 訳
足を洗った賭博師がその経験を生かし探偵として大活躍、いかさま師たちの巧妙なトリックを次々と暴く。エラリー・クイーン絶賛の痛快連作。（森英俊）
43429-6 900円＋税

教科書で読む名作 伊豆の踊子・禽獣ほか
川端康成
表題作のほか、油・末期の眼・哀愁・しぐれなどを収録。高校国語教科書に準じた傍注や図版付き。併せて読みたい三島由紀夫の名評論も収めた。
43416-6 680円＋税

教科書で読む名作 セメント樽の中の手紙ほか プロレタリア文学
葉山嘉樹ほか
表題作のほか、二銭銅貨（黒島伝治）／蟹工船（小林多喜二）など収録。高校国語教科書に準じた傍注や図版付き。併せて読みたい名対談も収めた。
43417-3 740円＋税

論語
齋藤孝 訳
大古典の現代語訳。原文と書き下ろし分も併録
43386-2 950円＋税

ぽんこつ
阿川弘之
自動車解体業の青年とお嬢様の痛快ラブストーリー
43389-3 900円＋税

増補 へんな毒 すごい毒
田中真知
動植物から人工毒まで。毒の世界を網羅する
43394-7 840円＋税

人間なき復興 ●原発避難と国民の「不理解」をめぐって
山下祐介／市村高志／佐藤彰彦
当事者の凄惨な体験を描く
43400-5 1200円＋税

贅沢貧乏のお洒落帖
森茉莉 早川茉莉 編
鷗外好みの帯に舶来の子供服。解説・黒柳徹子
43404-3 780円＋税

仁義なきキリスト教史
架神恭介
世界最大の宗教の歴史がやくざ抗争史として甦える！
43403-6 880円＋税

青春怪談
獅子文六
昭和の傑作ロマンティック・コメディ、遂に復刊！
43408-1 880円＋税

聞書き 遊廓成駒屋
神崎宣武
名古屋・中村遊郭の制度、そこに生きた人々を描く
43398-5 840円＋税

＊**マウンティング女子の世界** ●女は笑顔で殴りあう
瀧波ユカリ／犬山紙子
やめられない「私の方が上ですけど？」
43431-9 700円＋税

＊**消えたい** ●虐待された人の生き方から知る心の幸せ
高橋和巳
人間の幸せに、本当に必要なものは何なのだろうか？
43432-6 780円＋税

価格は定価（本体価格＋税）です。6桁の数字はJANコードです。頭に978-4-480をつけてご利用下さい。

3月の新刊 ●10日発売 ちくま学芸文庫

頼山陽とその時代 上

中村真一郎

江戸後期の歴史家・詩人頼山陽の生涯は、病による異変とともに始まった――。山陽や彼と交流のあった人々を活写し、漢詩文の魅力を伝える傑作評伝。

09778-1
1500円＋税

頼山陽とその時代 下

中村真一郎

江戸の学者や山陽の弟子たちを眺めた後、畢生の書『日本外史』をはじめ、山陽の学藝を論じて大著は幕を閉じる。芸術選奨文部大臣賞受賞。（揖斐高）

09779-8
1700円＋税

組織の限界

ケネス・J・アロー 村上泰亮 訳

現実の経済において、個人より重要な役割を果たす組織。その経済学的分析はいかに可能か。ノーベル賞経済学者による不朽の組織論講義！（坂井豊貴）

09776-7
1000円＋税

北欧の神話

山室静

キリスト教流入以前のヨーロッパ世界を鮮やかに語り伝える北欧神話。神々と巨人たちとが織りなす壮大な物語をやさしく説き明かす最良のガイド。

09793-4
1000円＋税

増補 十字軍の思想

山内進

欧米社会にいまなお色濃く影を落とす「十字軍」の思想。彼らを聖なる戦争へと駆り立てるものとは？その歴史を辿り、キリスト教世界の深層に迫る。

09784-2
1000円＋税

カント入門講義

冨田恭彦 ■超越論的観念論のロジック

人間には予めものの見方の枠組がセットされている――平明な筆致でも知られる著者が、カント哲学の本質を一から説き、哲学史的な影響を一望する。

09788-0
1200円＋税

価格は定価（本体価格＋税）です。6桁の数字はJANコードです。頭に978-4-480をつけてご利用下さい。
内容紹介の末尾のカッコ内は解説者です。

この詩に絡めて、坂口安吾は「教祖の文学」の中でこのように書いている。

「芸術とはそういうものだ。歴史の必然だの人間の必然などが教えてくれるものではなく、偶然なるものに自分を賭けて手探りにうろつき廻る罰当りだけが、その賭によって見ることのできた自分だけの世界だ。」

そしてこう結んでいる。

「文学とは生きることだよ。見ることではないのだ。」

妹トシの死や厳しい自然や自らの病など、賢治にとって不動なものはおそらくなかった。なにもかも過ぎ去っていく中で、自然に抗うことなく、しかし誰よりも大きな感情をも殺すことなく作品に注ぎ続けた姿がそこにはある。

その純度の高いカオスにはまだまだ、人が生き、やがて死んでいくことに対する救いや浄化となる鉱石が眠っている気がしてならない。

宮沢賢治コレクション3

よだかの星——童話Ⅲ・初期短篇

二〇一七年三月十五日　初版第一刷発行

著者　宮沢賢治
発行者　山野浩一
発行所　株式会社　筑摩書房
東京都台東区蔵前二―五―三　郵便番号一一一―八七五五
振替〇〇一六〇―八―四一二三
印刷　明和印刷株式会社
製本　牧製本株式会社

乱丁・落丁本の場合は左記宛にご送付ください。送料小社負担でお取り替えいたします。ご注文、お問い合わせも左記へお願いいたします。
筑摩書房サービスセンター
〒三三一―八五〇七　埼玉県さいたま市北区櫛引町二―六〇四
電話　〇四八―六五一―〇〇五三

ISBN978-4-480-70623-2 C0393

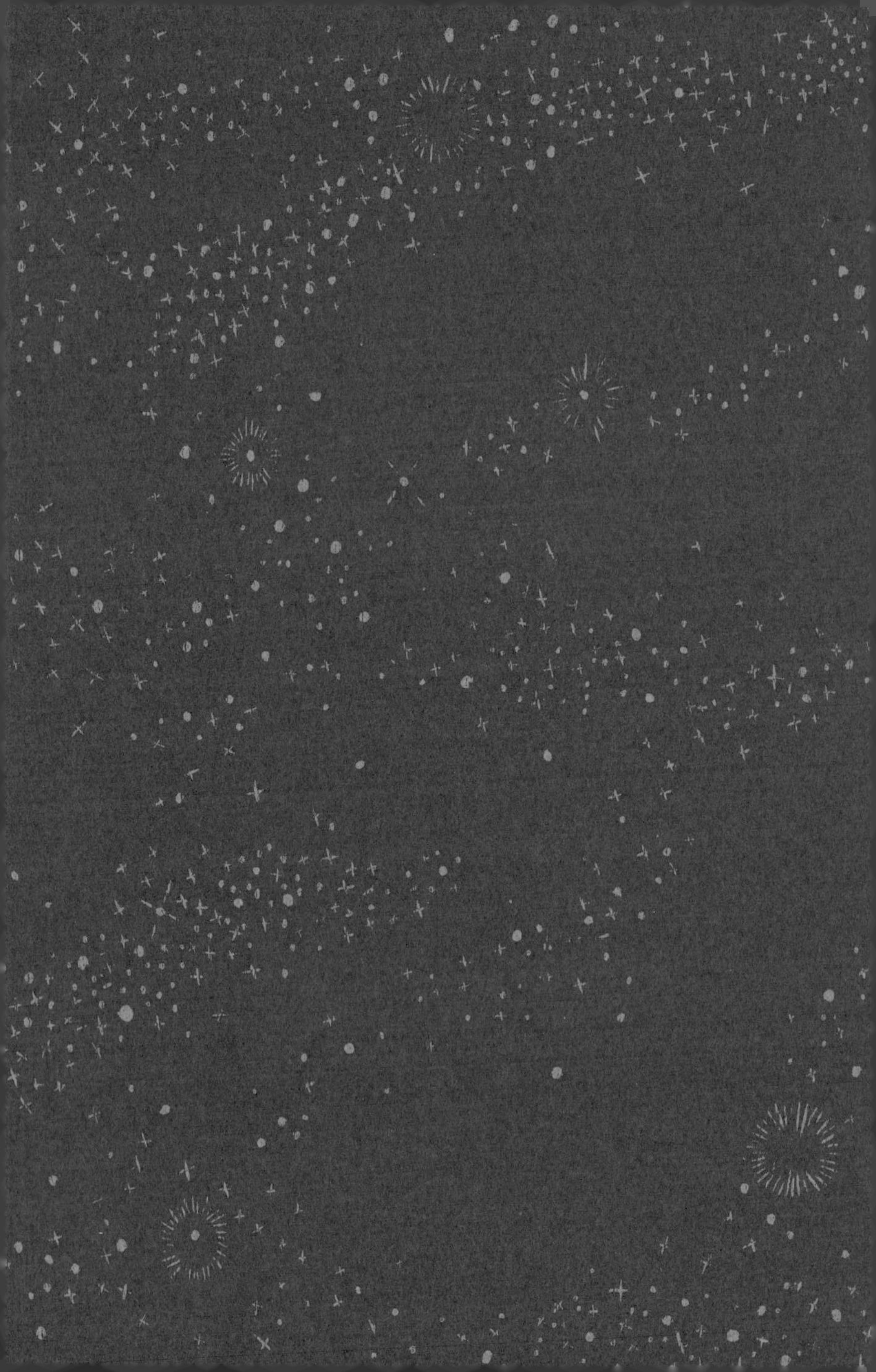